Toi,
la mort,
tu peux
attendre !

Thérèse Moineau

Toi, la mort, tu peux attendre !

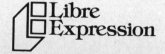

Libre Expression

Maquette de la couverture:
France Lafond

© Copyright: Editions Libre Expression, 1979

Dépôt légal:
1er trimestre 1979

ISBN 2-89111-004-8

À ma fille, Esther,
et à mon mari, Jacques

Avant-propos

Après avoir traité Madame Moineau pendant plusieurs années, je croyais la bien connaître.

J'avais pu apprécier son courage devant chaque nouvel assaut de sa maladie alors que, loin de désespérer, elle luttait pour ne pas se laisser submerger par la douleur. J'ai été émerveillé par la rapidité avec laquelle, dès que les symptômes commençaient à disparaître, en quelques jours à peine, elle pouvait reprendre ses forces et retourner à sa vie normale comme si elle n'avait fait que s'éveiller d'un cauchemar un peu plus pénible. Même si je crois qu'il faut dire la vérité au malade, j'ai parfois trouvé pénible son insistance à toujours être tenue au courant immédiatement de l'évolution de sa maladie, surtout lorsque les examens confirmaient une nouvelle rechute. Je dois admettre que j'ai été troublé de la sérénité avec laquelle elle envisageait le futur, parfois bien hypothétique. Cette femme que je croyais connaître, je l'ai découverte dans son livre. C'est là que j'ai compris où elle puisait son courage, sa force et sa sérénité.

Pour un médecin, son livre est une leçon d'humanisme. Il est un rappel que, par-delà la maladie que le médecin a appris à bien connaître pour mieux la combattre, il y a le malade qui peut abdiquer et se laisser terrasser, mais qui peut, si on l'aide, réussir à mener une vie intense malgré sa maladie. Il est un rappel que la vie ne se mesure pas seulement en temps, mais aussi en intensité, que la lutte pour la vie ne doit pas seulement chercher à en prolonger la durée mais aussi à en améliorer la qualité.

Devant un témoignage comme celui de Madame Moineau, je ne puis m'empêcher de croire qu'une maladie, même apparemment aussi inéluctable que le cancer, puisse être influencée par l'esprit et que, en négligeant l'humain, le médecin risque de se priver d'un allié dont il a pourtant bien besoin.

André Girard, M.D., F.R.C.P.

Préface

Dans un style simple, accessible à tous, ce récit que l'on dévore en quelques « bouchées », recèle des trésors d'un courage indéfectible, d'une volonté sans faiblesse et d'une foi en Dieu, en l'homme et en la science, bien vivante sans toutefois être spectaculaire ni gênante. On en retire aussi une leçon « gentille » que tous les professionnels de la santé auront profit à retenir. Bref, l'auteur y trace une VOIE à suivre, qui ne fait appel qu'aux qualités humaines qui rendent une vie noble, exemplaire et digne d'être vécue.

« NON, ON NE PEUT JAMAIS DIRE QU'UN MALADE SOIT INCURABLE. »

Tout médecin qui, comme moi, a œuvré durant plusieurs années au service du patient atteint de cancer, pourrait citer des exemples dont le souvenir ne s'estompe jamais. Il arrive même que certains actes thérapeutiques posés sans trop de conviction reçoivent une réponse qui dépasse grandement les espérances les plus irréalistes et les plus optimistes, atteignant même une éradication complète de la maladie cancéreuse.

Sans rejeter cette possibilité quand même lointaine — l'attente passive d'une guérison miraculeuse — l'auteur rend le lecteur rapidement conscient que ce qui importe c'est cette acceptation héroïque d'une quasi-certitude d'un exitus plus ou moins arrêté dans le temps, mais dont on ignore la durée de la trêve. En effet, cette acceptation « avant terme » — du moins, le croyons-nous — de cette « inexorable loi de la nature » qui veut que notre séjour sur cette terre soit pour une période déterminée procure au patient et à ses proches des dividendes insoupçonnés, auparavant.

C'est ainsi que, pour l'auteur, la vie devient un bien d'une valeur incommensurable dont elle goûte chaque instant; c'est ainsi qu'elle découvre d'innombrables « petits plaisirs » dont elle jouit intensément, alors qu'auparavant ceux-ci passaient inaperçus; et cela vaut non seulement pour elle, mais aussi pour les êtres chers qui, malgré eux, deviennent synchronisés sur la longueur d'onde du patient.

Une telle personne consacrera un temps important à comprendre le pourquoi de cet arrêt prématuré de la vie et elle essaiera d'édifier des hypothèses sur le sort qui nous attend de l'autre côté de cette frontière que l'on ne franchit qu'une fois, mais pour un temps sans aucune espèce de proportion avec la durée de notre séjour ici-bas.

Quel que soit le degré de sa foi, le patient devra placer l'hypothèse d'une seconde vie — celle-là, indéfinie — sur l'échiquier des probabilités choisies;

car, sa sincérité et son réalisme ne laisseront aucune place pour les illusions créées de toutes pièces, par le genre de vie que l'on mène, ne voulant pas consacrer le temps nécessaire, aux problèmes de l'au-delà, qui sont d'emblée les plus importants pour ne pas dire « les seuls qui importent vraiment ».

L'auteur nous présente la vie sous un angle rarement considéré par l'homme en santé — ou qui croit l'être — et cet angle vaut la peine d'être contemplé. Il projette une hiérarchie des valeurs bien différente et au moins aussi valable, parce qu'il offre peut-être plus de garanties d'un bonheur stable.

Quand on est en santé, on croit que de multiples voies mènent au bonheur. Est-ce vrai? Il y en a peu, je crois, et l'auteur, ainsi que Ginette (que j'ai bien connue) qu'elle nous fait revivre d'une manière si réelle, nous indiquent une VOIE à suivre, qui ne décevra jamais.

Si Thérèse Moineau n'avait pas écrit ce livre merveilleux, il faudrait l'écrire! Mais, qui pourrait le faire aussi bien qu'elle l'a fait? Je n'en connais pas!

Maurice Thibault, M.D., F.R.C.P. (c)

PREMIÈRE PARTIE

L'ennemi

I

Assis au pied de mon lit, un homme vêtu de blanc
baisse la tête; il regarde soudainement ses mains
et un long soupir s'échappe de sa poitrine. Depuis
que je suis entrée dans cet hôpital, je ne comprends
plus très bien ce qui m'arrive. Il y a de cela quelques
jours à peine, j'étais une femme active, forte; je
travaillais avec Jacques dans notre boutique de fleurs,
je m'attardais aux jeux et aux rires d'Esther, notre
fille, et puis aussi j'enseignais. Mais voilà que tout à
coup je suis confinée dans cette chambre, réduite
à vivre dans un lit. Pourquoi? L'homme qui est là
connaît la réponse. Son silence m'épuise, je ne peux
plus attendre, je dois savoir.

— Est-ce si grave que cela, docteur?

Il relève enfin la tête et dans son regard, lentement, l'impuissanse se découvre, à la façon de deux
grandes mains vides qui s'avanceraient vers moi.
J'ai peur. Mon interrogation ne suscite toutefois

aucune réponse de la part de mon interlocuteur qui semble vouloir s'emmurer dans le silence, comme si celui-ci pouvait lui servir de barricade. La peur l'étrangle, je le vois bien. Est-ce si difficile de me dire la vérité?

— J'ai un cancer, n'est-ce pas?

Cette fois-ci le médecin penche la tête de façon affirmative; sans prononcer un seul mot, il me condamne, puis voilà qu'il se retire, qu'il s'empresse de me quitter comme s'il cherchait à se sauver. Mais moi, je reste seule, seule dans cette chambre où ma vie soudain s'écroule. Envahie par les craintes que jusqu'ici j'avais réussi à repousser, je me sens devenir minuscule au creux de ce lit anonyme sur lequel sans doute d'autres êtres se sont trouvés un jour condamnés. Il n'est plus possible maintenant de faire taire ces voix maléfiques qui me parlaient de mort. Elles sont revenues, triomphantes, et elles grondent dans ma tête à la manière d'une chanson entonnée par de mauvaises sorcières qui me jetteraient un sort. La mort s'est frayée un chemin au sein de mon corps, voilà que je la couve, voilà que je l'enfante, quelle ironie! Comment tuer la mort? Comment mettre un terme à cette grossesse monstrueuse? Quel amant diabolique est venu déposer durant mon sommeil le germe d'une si terrible descendance?

Et dire qu'il y a quelques mois mon médecin de famille avait ri de mes inquiétudes au sujet d'une petite bosse que j'avais vue soudainement grossir sous ma clavicule. « Tu as vu une bosse et tu as pensé cancer. Ne t'en fais pas », m'avait-il dit. Et j'avais suivi son conseil, rassurée par ses paroles et par la confiance qu'il m'inspirait. Plus tard, l'oto-rhino-laryngologiste que j'avais consulté au sujet d'un mal

16

à l'oreille droite me dit lui aussi de ne pas m'inquiéter. « Vous avez un polype sur le tympan, je vais vous opérer pour cela et tout rentrera dans l'ordre. » Le fait que la petite bosse se trouvait également du côté droit ne semblait en rien significatif. Comme ce spécialiste avait une excellente réputation, je n'insistai pas davantage quand il refusa d'enlever la minuscule proéminence qui me troublait tant. L'opération au tympan eut donc lieu et, après un jour de convalescence, j'obtins mon congé. Certes je me sentais faible, j'avais même du mal à marcher, mais comme le médecin me l'a dit: « La convalescence ça se fait à la maison. » Alors je quittai l'hôpital aidée de mon beau-frère et de ma belle-sœur qui me soutenaient. Il y a de cela un mois. Aujourd'hui, un autre médecin vient me voir, il m'annonce que j'ai le cancer et il veut que j'accepte cela, que je me résigne, que je me fasse à cette idée. Peut-on jamais s'habituer à la mort? Quand soudain elle est là, en vous, que vous la savez toute proche, comment faire pour la repousser? J'ai vingt-sept ans, ma vie commence à peine. Dans ma tête et dans mon cœur je porte mille projets et mille envies. Je veux vivre, j'ai besoin de mon corps. Esther n'a que quatre ans; je veux la voir grandir, je veux la voir devenir une femme, je veux partager avec elle les élans de sa jeunesse, je ne peux pas la laisser, pas maintenant. Qui la préparera à vivre, qui l'aimera comme je l'aime, qui la protégera? Et Jacques, mon mari, avec qui je vis depuis six ans, lui que je veux continuer à rendre heureux, je n'accepterai jamais de l'abandonner. Oh! Dieu, si vous êtes là, si vous pouvez m'entendre, vous voyez bien que cette situation n'a pas de sens. Il s'agit sûrement d'un cauchemar;

bientôt je me réveillerai et cette histoire ne sera que chimère. Dites-moi, mon Dieu, que vous vous êtes trompé, que vous effacerez ce drame de ma vie. Je ne peux pas le croire, je ne veux pas le croire.

Dans le corridor, le bruit des plateaux que l'on bouscule me ramène à la réalité. Il y a aussi le roulement des chariots, les lumières qui s'allument, les voix que j'entends et parmi lesquelles se glissent quelques rires. Dans ma chambre une jeune fille blonde fait bientôt son entrée. Elle porte dans ses bras un grand cabaret qu'elle dépose sur la table qui se trouve au pied de mon lit. Délicate mais forte, je la sens vive et alerte. Plus je la regarde, plus je la trouve belle et plus je l'envie.

— Bonsoir, madame Moineau. C'est votre souper. Voulez-vous que je replace vos oreillers? Vous serez plus à l'aise pour manger.

— Merci, mais je n'ai pas très faim. Je vais me débrouiller, soyez sans crainte.

— Très bien, madame Moineau, bon appétit!

Oui, « bon appétit », comme si je pouvais avoir faim! Des larmes chaudes, brûlantes, surgissent. Elles viennent de très loin au fond de moi. Elles me font mal mais je ne peux les arrêter. Elles ont le goût du désespoir et elles se déversent, généreuses, un peu comme ma vie qui fuit quelque part hors de moi et que je ne sais plus retenir. Est-ce possible d'en arriver là? Devrais-je me contenter d'attendre la mort sans mot dire, patiente, docile? Non, cela ne sera pas. Si j'ai à mourir, c'est moi qui déciderai du moment. Je vais sortir d'ici, je vais prendre la voiture et je vais rouler au hasard jusqu'à ce que devant moi apparaisse un grand mur de briques. Alors, à toute vitesse, je foncerai sur cet écran implacable. Cela produira un grand choc, et tout sera fini, je ne serai plus qu'un corps désarticulé. Oui, mourir dans la violence plutôt que de rester là, impuissante, à me laisser gruger par cet ennemi invisible. Mais les larmes coulent toujours. Sur l'écran de mes paupières closes le grand mur de briques disparaît; une autre image y prend forme. Juste à en pressentir le contour mon cœur se resserre.

La courbe soyeuse d'une joue ronde que l'on a envie de mordre tel un beau fruit, un petit nez qui se retrousse, de grands yeux rieurs, pleins d'éclat, qui me regardent. Esther, ma petite chérie, qui m'offre son enfance dans le creux de ses mains minuscules et agiles; Esther qui sautille et danse, se chante une chanson aux mots mystérieux dont elle seule possède le secret; Esther mon enfant, cet être qui fut moi, qui a poussé dans mon ventre et avec lequel j'ai partagé mon souffle, ma force, ma vie; Esther, qui déjà est une autre. Je t'aime, ma chérie, je t'aime tant; oui, Esther, je te promets d'être fidèle, je ne te laisserai pas. Pour toi je lutterai, je resterai ta mère, je te le jure. Mon Dieu, vous devez me donner la force de vivre, je vous en conjure, aidez-moi à me battre.

Je dois annoncer ce soir le diagnostic à mon mari. Il me faudra trouver les mots, trouver le ton et surtout le courage. Je devrai lui dire que désormais mes jours sont comptés, que je suis sa femme pour un temps indéterminé seulement, et qu'il ne peut plus vraiment se fier à moi. Pauvre Jacques, nous venons tout juste d'acheter notre boutique de fleurs, un projet que nous avions échafaudé depuis longtemps déjà. Il y travaille fort, il doit se créer une nouvelle clientèle et nous ne pouvons pas nous permettre d'engager tout de suite d'autres employés. Les heures de travail sont longues et il faut quelqu'un pour s'occuper de la petite. Il ne pourra jamais y arriver seul. Combien de temps vont-ils me garder ici? Et si je devais ne jamais en sortir?

Non, je ne veux pas, je ne veux pas voir ça. C'est trop affreux, c'est trop injuste. Pourquoi suis-je une victime? De quoi veut-on me punir? J'ai bien le droit de vivre moi aussi. La jeune fille qui est venue tantôt porter mon souper, elle est bien, elle est en santé. Pourquoi le destin m'accable-t-il, moi plutôt qu'une autre? Bien sûr, il n'y a pas de réponse à ces questions. Ma révolte ne pourra que se répandre partout dans mon corps et dans mon âme sans jamais trouver d'issue. Je suis prise au piège. Je suis seule et ma voix désormais ne trouve plus d'écho. Je comprends maintenant ces phrases de Shakespeare que j'avais fait lire un jour à mes étudiants; elles reviennent à ma mémoire, toutes claires, toutes nues:

> « Éteins-toi, éteins-toi, court flambeau! La vie n'est qu'une ombre qui passe, un pauvre histrion qui se pavane et s'échauffe une heure sur la scène et puis qu'on n'entend plus... une histoire contée par un idiot, pleine de fureur et de bruit et qui ne veut rien dire. »

Ce que l'on appelle la vie n'est donc finalement qu'une illusion. Tout ce qui vit est en train de mourir. Nous ne sommes là que le temps nécessaire à la disparition. Pareille à des chandelles dont la cire fond sous la flamme, l'humanité se consume sous le soleil. Pauvres idiots qui rêvent d'éternité, qui s'agitent, s'étourdissent pour se masquer l'évidence. Et l'on se croit fort, et l'on se pense maître de son destin, mais nous ne sommes jamais que poussière. Il faut vous annoncer que la mort est en vous pour que vous vous mettiez à y croire vraiment. Bien sûr, nous savons tous que nous nous dirigeons vers cette fin, mais voilà, la mort n'est pas une fin, elle est notre déroulement, pour ne pas dire notre seule action véritable. Nous ne vivons pas, nous mourons. Et l'on arrive à oublier une pareille chose! Nous sommes sûrement de grands illusionistes. « La mort vient comme un voleur », dit-on. Eh bien, cette phrase, elle me fait rire, moi. C'est nous qui sommes dupes.

Et pourtant, il est vrai que l'on peut mordre dans la vie. Il est vrai qu'en nous se trouve beaucoup d'énergie. J'ai eu de grands bonheurs, de grands moments d'exaltation. J'ai quelquefois ramassé tout mon courage et je me suis sentie forte, capable d'abattre des montagnes. Et puis un jour j'ai mis un être au monde. Je lui ai bien donné la vie à cette enfant.

Je me sens tellement épuisée. Je voudrais dormir, dormir, pour très longtemps. Longtemps... un mot que je devrai désormais rayer de mon vocabulaire, rien ne sera plus jamais long pour moi; sauf peut-être l'attente. Cher Jacques, tu seras bientôt ici devant moi, je t'imagine déjà, ton regard scrutant mes yeux. Qu'y trouveras-tu? La tristesse sans doute, et puis aussi l'inquiétude, mais surtout, mon cher Jacques, tu y verras tout mon amour. Atterrée je le suis, et je ne pourrai pas te le cacher. Nous nous connaissons trop bien pour cela. Tu sentiras tout de suite en me voyant le malheur qui maintenant nous cerne. Et je ne saurai pas te consoler. Je serai incapable de te dire que cela n'est rien; je n'arri-verai pas à te faire croire que ce n'est qu'un mauvais moment à passer. Les mots seront presque inutiles, n'est-ce pas?

Je suis si lasse. Les larmes ont cessé maintenant. Mon corps aspire au calme et ma tête ne peut plus supporter le tourbillon. Dormir tout doucement, comme une enfant. Me faire bercer, me coucher sur le dos des vagues et me laisser emporter loin, très loin, là où le soleil s'enfonce quand vient le soir. Il me vient à l'esprit le souvenir d'un après-midi d'été. Il y a quelque temps à peine de cela. Je me trouvais dans la boutique, accroupie au-dessus d'une plante que je soignais. Une femme entra. Elle portait un tailleur bleu. Son élégance m'impressionna. Grande, mince, elle marchait lentement à travers la pièce. Elle s'arrêta devant des boutons de rose non encore éclos. Sa main les contourna, caressante. Tout était silencieux. Jacques était à l'arrière en train de travailler et Esther était allée chez ses petites amies. Je me relevai et m'approchai de la cliente. Je lui demandai si je pouvais l'aider et elle tourna les yeux vers moi. Ils étaient grands et bleus. Son sourire était doux et sa voix toute chaude.

— Je voudrais des fleurs comme celles-ci, mais prenez soin de les choisir fermées. J'aimerais les voir éclore. Je pourrai les garder ainsi plus longtemps. Mettez-en plusieurs car il m'en faut pour chaque pièce de la maison. Et puis, j'aurais besoin de vases comme ceux-ci, transparents. Je laisserai flotter les fleurs sur l'eau. Oui, je voudrais cinq vases et assez de fleurs pour chacun d'eux.

Je partis chercher ce qu'il fallait. Je restai quelques minutes absente puis je revins à l'avant de la boutique. Esther était là et la dame était penchée auprès d'elle. Elle lui parlait tandis que sa longue main blanche jouait avec le frison de sa robe. Ma fille se tenait debout devant elle, intimidée mais rieuse. Elle portait ses doigts à sa bouche et se dandinait. La dame frôla les petits bras potelés d'Esther et elle prononça quelques mots qui firent éclater le rire frais de ma petite. Les rayons du soleil les entouraient; c'était beau de les voir ainsi parmi les fleurs et les plantes. L'on aurait dit un tableau. Esther m'aperçut et se mit à courir dans ma direction. La dame se releva. Lorsque je la rejoignis je remarquai que ses yeux étaient mouillés. Elle vit ma surprise.

— C'est votre petite fille? me demanda-t-elle.

— Oui, lui répondis-je.

— Elle est très belle, Madame, félicitations. Est-ce votre seule enfant?

— Oui.

— Moi aussi j'ai une petite fille qui a environ son âge. Il y a longtemps que je ne l'ai pas vue.

— Vous avez été absente?

— Oui.

Et elle baissa les yeux. Je sentis une sorte de malaise s'installer. Je n'osais plus parler. Bientôt cependant elle se tourna vers moi et cette fois je vis deux petites larmes tomber. Mon cœur se serra. J'aurais voulu faire quelque chose mais je ne comprenais pas la cause d'une telle tristesse.

— Vous savez, Madame, j'ai trente ans. Pour la première fois depuis six mois je vais rentrer chez moi et revoir les miens. Je me suis tellement ennuyée d'eux et je souhaiterais tant pouvoir les garder auprès de moi. Mais la vie est traître parfois. Il ne me reste que peu de temps pour aimer les personnes qui me sont précieuses. Bientôt je vais les quitter pour ne jamais les revoir. Je vais mourir, sans doute dans très peu de temps.

Je ne savais plus où me mettre. J'étais si émue que ma voix restait coincée au fond de ma gorge. Au bout d'un moment je lui dis:

— Mais comment pouvez-vous savoir une chose pareille?

— J'ai un cancer et l'on m'a avertie qu'il n'y avait plus d'espoir. Les médecins peuvent à tout le moins prolonger mes jours, mais aucun traitement ne pourra me sauver. Il est trop tard.

J'avais moi aussi les yeux pleins d'eau. Je me sentais toute tremblante. Une grande peine m'envahissait. Cette femme était, bien sûr, une étrangère mais jamais je n'avais vu devant moi autant de détresse. Le calme qu'elle affichait, la douceur de ses paroles, et puis surtout le ton résigné de sa voix m'avaient très profondément touchée. J'avais le cœur si gros. Elle s'aperçut du trouble qui m'animait et tout de suite elle répliqua:

— Non, non, ma petite Madame. Oh! pardonnez-moi, je vous en prie. Je ne voulais pas vous rendre triste. S'il vous plaît, ne pleurez pas. Je vous en conjure, ne faites pas ça.

Elle prit mes mains dans les siennes. Je me sentais gauche et tellement stupide. Voilà que cette femme cherchait à me consoler, moi. Vraiment j'étais ridicule.

— Je sais bien que je n'aurais pas dû vous dire ces choses, reprit-elle. Mais quand j'ai vu votre fille, je n'ai pu m'empêcher de songer à la mienne. Et je voulais vous dire, Madame, que le bonheur est très précieux. Cela m'a fait beaucoup de bien d'entrer ici aujourd'hui et de voir des gens heureux. C'est un grand réconfort, vous savez. Oubliez-moi, ne pensez plus à mon histoire et profitez de la vie, profitez-en le plus possible. Goûtez à chaque chose, prenez le temps de vivre, et aimez ceux qui vous entourent. Soyez heureuse, Madame.

Je réussis à me ressaisir et lui souris. Je m'occupai d'emballer son paquet et je ne parlai plus. Elle me paya, et quand je lui remis sa monnaie je lui dis simplement: « Bonne chance. » Elle franchit la porte sans faire de bruit. Je restai seule et songeuse. De la fenêtre, je regardai s'éloigner sa silhouette. Je me sentais toute drôle, toute vulnérable, soudainement. Je barrai la porte du magasin et j'allai rejoindre Jacques à l'arrière de la boutique. Je lui racontai ce qui venait de se passer. Il m'écouta en continuant de travailler. Il finit par me dire que cela faisait partie de la vie, et, bien sûr, il avait raison. J'étais loin de m'imaginer, ce jour-là, que j'allais moi aussi me trouver dans la même situation.

Sur la table de nuit les aiguilles du cadran continuent leur ronde. Dix-huit heures, bientôt ce sera l'heure des visites. Jacques viendra et j'ignore toujours comment je vais lui dire ce qui m'arrive. Si seulement je pouvais dormir, trouver la paix. Mais dans ma tête les pensées ne cessent d'affluer et je me sens si seule. J'aimerais pouvoir parler à quelqu'un, trouver, dans la chaleur d'une voix, un point d'appui, un réconfort. Mais je ne veux pas tout de suite alarmer Jacques. Je songe à Paul-André, mon frère, il est sûrement chez lui en ce moment. J'étire mon bras et saisis le récepteur du téléphone qui se trouve près de moi. Je compose le numéro et bientôt Paul-André me répond.

— Bonjour, Paul-André. C'est Thérèse.

— Bonjour. Comment vas-tu? Es-tu toujours à l'hôpital?

— Oui, j'y suis encore.

— Alors, est-ce que tu as des nouvelles? Maman nous a téléphoné l'autre soir pour nous dire qu'ils allaient te garder plus longtemps. Qu'est-ce qui se passe?

— Eh bien, j'ai subi plusieurs examens. J'avais des problèmes avec ma respiration, comme tu le sais, mais les médecins n'arrivaient pas à voir d'où provenait le mal. Ils ont essayé de prendre des radiographies pulmonaires, mais je ne pouvais pas me tenir droite tellement je souffrais. Alors ils m'ont demandé de rester ici quatre ou cinq jours de plus pour passer d'autres tests.

— Mais depuis quand avais-tu des difficultés à respirer? Je ne t'avais jamais entendue te plaindre de ça avant.

— En fait, je n'y avais jamais porté attention. C'est ma sœur, Estelle, qui est infirmière qui l'a remarqué et qui m'a incitée à venir voir un médecin. Je ne croyais pas que c'était grave, mais elle m'a convaincue que je devais faire quelque chose, que ce n'était vraiment pas normal. Jacques était du même avis, alors il a pris un rendez-vous pour moi, ici, à l'hôpital.

— Et depuis tout ce temps ils n'ont rien trouvé?

— Bien oui. Ils ont finalement diagnostiqué un début de pleurésie. Il a fallu que je dorme quelques nuits à demi assise dans le lit. Après, ils m'ont référée à un hématologiste qui, à son tour, m'a fait passer d'autres examens et m'a finalement proposé de faire enlever la petite bosse que j'ai sous la clavicule et qui m'inquiète tant depuis quelques mois.

26

— Et alors, ils vont t'opérer?

— Eh bien, je ne sais pas encore. L'hématologiste est venu me voir cet après-midi.

Je sens que ma voix commence à trembler. J'ai peur de ne pas pouvoir tenir le coup. Paul-André va sûrement s'apercevoir que quelque chose ne tourne pas rond. Mon Dieu, comment vais-je terminer cette conversation? Dois-je dire la vérité?

— Thérèse, tu es toujours là? Qu'est-ce qui se passe, je te sens toute drôle. Est-ce que tu pleures? Thérèse, est-ce que c'est grave?

— Oh! Paul-André, je suis tellement découragée!

Les sanglots étouffent ma voix, je ne sais que pleurer.

— L'hématologiste m'a dit cet après-midi que j'avais le cancer.

— Thérèse, tu n'es pas sérieuse! Pas toi, c'est impossible. Tu as toujours semblé si solide, si forte.

— Je sais bien, Paul-André, je sais bien, mais c'est la vérité. J'ignore ce qu'ils vont faire, j'ignore même s'ils peuvent faire quelque chose. Mais, Paul-André, je t'en prie, ne le dis pas à Jacques tout de suite, il va venir tantôt, je l'attends. Je vais le lui dire moi-même. Tu me promets, Paul-André, de ne pas lui en parler?

— Oui, oui, Thérèse, je te le promets. On va aller te voir dès que possible. Cette semaine, vraiment, j'étais trop pris, mais je vais y aller, sans doute demain. Ne te laisse pas décourager. C'est difficile d'apprendre une chose pareille, mais ils vont sûrement trouver un traitement. La recherche a fait beaucoup de progrès dans ce domaine et quand c'est pris à temps, c'est plus facile à soigner. Ne te laisse pas abattre, Thérèse, on va tous t'aider, tu ne seras pas seule, tu vas voir.

— Oui, Paul-André, tu as raison. Je m'excuse d'avoir pleuré comme ça.

— Mais ne t'excuse pas, voyons.

— Je crois que je vais te laisser, maintenant. Jacques ne devrait pas tarder à arriver et je ne veux pas qu'il me trouve avec les yeux rouges.

— D'accord, Thérèse, mais ne t'en fais pas trop, ça ne sert à rien, tu dois garder toutes tes forces.

— Oui, Paul-André, merci. Au revoir, à bientôt.

Maintenant ma famille va être au courant. Ils vont savoir, eux aussi. Je suis contente au fond de l'avoir dit d'abord à Paul-André. Il saura, mieux que moi, faire accepter ce malheur à mes proches. Oh! mon Dieu, que tout cela est pénible! Mais au moins je l'ai dit à quelqu'un, ce sera peut-être plus facile de l'annoncer à Jacques.

Dix-neuf heures. En bas, dans l'entrée, les visiteurs se dirigent vers les ascenseurs qui se remplissent et qui s'arrêtent à chaque étage. Parmi ces gens, certains tiennent dans leurs mains des boîtes emballées avec des papiers de couleurs et des rubans. D'autres apportent des fleurs. Quelque part, au fond d'une de ces petites cages, Jacques se tient debout, seul. Il guette le numéro des étages. Arrivé au sixième il se faufilera parmi les visiteurs et il s'amènera vers moi. Des pas se font entendre dans le couloir. La vie envahit l'espace jusque-là silencieux. Cette invasion quotidienne, nous l'attendons tous, nous, les malades, qui passons nos journées dans ces chambres aux murs verts que nous scrutons, que nous épions, dans la solitude de nos angoisses. Rien ne fait plus plaisir que le bruit de ces pas, de ces voix qui viennent du dehors et qui nous rapprochent de nos vies. Car lorsque les portes des hôpitaux se referment dans notre dos, lorsque soudainement nous nous retrouvons emprisonnés derrière ces murs épais et anonymes, notre vie, elle, reste dehors. Tout ce qui est à nous appartient à l'autre côté du monde. Et ces fenêtres qui nous découvrent le ciel nous rappellent sans cesse l'espace où nous sommes relégués. Elles sont nos frontières. Comme des paupières d'aveugles, elles s'ouvrent sur le noir et rappellent à chaque battement la lumière interdite.

Ce soir, cependant, j'appréhende l'arrivée de Jacques. J'ai l'impression d'être recluse derrière un mur invisible. Seule ma voix pourra se rendre jusqu'à lui, mais j'ignore si je trouverai les mots qu'il faut. Mes mains, inconsciemment, se promènent sur le drap. Je serre entre mes doigts ce tissu humide. J'attends. Et puis le voilà. Il passe le seuil de la porte. Je le regarde et je vois son sourire tout à coup se transformer. Il dépose un sac au pied de mon lit. Et c'est lui maintenant qui pose ses yeux sur moi.

— Toi, tu as eu une mauvaise nouvelle.

Et sans que je réfléchisse davantage, spontanément, je lui réponds:

— Oui, je viens d'apprendre que j'ai le cancer.

II

Trois jours maintenant ont passé pendant lesquels je n'ai cessé de pleurer. Une garde est venue porter mon petit déjeuner et a insisté pour que je mange. Je me rappelle très bien le ton de sa voix, de même que ses gestes vifs, précis. Elle a ouvert les rideaux et m'a dit de regarder le soleil magnifique de ce début de journée. Je lui ai demandé quelle date nous étions. « Le 13 septembre », m'a-t-elle répondu, et je fus surprise de me trouver déjà au début de l'automne. J'ai fait mon entrée dans cet hôpital le 28 août. Comme le temps passe vite, comme les jours peuvent être courts quelquefois!

1973, une année que je n'oublierai pas. Il me semble qu'à partir de maintenant rien se sera plus pareil. J'ai l'impression d'avoir été projetée à l'intérieur d'un immense gouffre noir. Tout a pris l'aspect et le goût de la précarité. Je voudrais saisir dans mes mains les êtres et les choses qui m'entourent, faire en sorte qu'ils ne changent plus, qu'ils ne s'éloignent plus de moi. Je cherche en vain à retenir le temps, et l'impuissance à laquelle je suis soudainement confrontée me révolte et me désespère. Jamais auparavant je n'aurais cru que l'on puisse être autant bouleversée. L'incertitude se révèle victorieuse. Submergeant les forces que, timidement, je tente de lui opposer, elle me dévaste, ronge mon énergie à sa source, creuse mon angoisse et, faute de ne pouvoir l'amener à lâcher prise, elle m'astreint à la défaite. Je n'ose plus maintenant la défier, sa poigne est trop solide et je redoute ses armes. Je m'abandonne, docile, à la lassitude qu'elle m'impose. Je ne sais plus où puiser la force dont j'aurais besoin afin de mettre en déroute cet implacable ennemi.

Lentement, je me désagrège; j'ai la terrible sensation que mon corps me délaisse. Ma peau n'est qu'un voile qui progressivement s'effiloche; dans ma tête le silence s'installe à la manière d'une eau trop calme, presque morte. Ma vie ressemble à une ombre fuyante. Fantôme honteux qu'une stridente lumière s'amuse à réduire en poussière, je la vois qui se cache, qui tente de fuir, elle ne connaît plus l'orgueil, sa figure apeurée me répugne. Comment pourrais-je lui accorder encore ma confiance alors que chaque seconde qui fuit accentue sa trahison? Oui, ma vie me trahit, et je la hais. Elle se montre indigne de mes aspirations. Elle fait fi de mes volontés et de mes désirs. Sourde à mes prières, à mes supplications, elle se retranche dans l'épaisse noirceur de mon désespoir, ma voix n'ose même plus essayer de se faire entendre. Confinés aux ramparts de mon âme, mes cris étouffés s'amassent au creux de ma poitrine tel un nœud qui se resserre et m'égorge.

Il y a deux jours, à bout de force et d'espoir, j'appelai l'abbé Laplante qui est pour moi un véritable père. Je l'ai connu alors que j'étais encore adolescente et, à chaque tournant difficile de ma vie, j'ai toujours pu bénéficier de sa présence et de sa générosité. Lorsque je l'informai du malheur qui maintenant s'abattait sur moi, lorsque je lui fis part du désarroi qui me terrassait, il s'est empressé de m'offrir son aide. Il vint immédiatement me voir. J'attendis sa visite avec impatience, les heures semblaient s'éterniser. Dès que je le vis à la porte de ma chambre, je me mis à pleurer. Je pris ses mains dans les miennes et je m'y accrochai comme à une bouée de sauvetage. Cependant je devins bientôt violente. Je lui dis à quel point me paraissait injuste l'épreuve dont le destin m'affligeait et je ne retins pas ma colère. Mes paroles étaient dures et presque accusatrices. Devant son calme apparent, ma révolte ne cessait de croître. Sans broncher, il écouta mon plaidoyer et il me laissa exprimer tout haut les sentiments qui en moi se bousculaient. Je dévidai sur lui toutes les émotions que jusque-là j'avais tues. Je devins vite épuisée; à la fin je le regardai, désespérée, suppliante, vide de toute ressource. « Pardonnez-moi, lui dis-je, je ne sais plus que faire et je ne sais plus ce que je suis. Où est la lumière, monsieur l'abbé, où est l'espoir? » lui demandai-je, défaite, et j'appuyai ma tête sur son bras, attendant de lui une réponse salvatrice.

Une fois de plus sa voix familière s'est penchée à mon oreille et s'est frayée un chemin jusqu'à mon cœur. Ses paroles, pleines de sagesse, tentèrent de m'apaiser. Je sentis que dans ses mains généreuses, il avait ramassé l'énergie qu'en mille directions je venais de répandre. Dans ses mots, il cristallisa l'objet de ma douleur. Mon ennemi devint bientôt mieux défini, mieux cerné. Cela m'apporta un grand soulagement. Je n'étais plus seule devant une silhouette floue que je cherchais à saisir dans la pénombre. Au contraire, je me sentais plus forte, plus consciente de ce qui m'arrivait. Et c'est alors que l'abbé Laplante m'entretint du combat que j'avais à mener. Je ne devais pas le percevoir comme étant destructeur, hargneux et vil. Non, l'abbé Laplante m'amena à voir qu'il s'agissait plutôt de la mise en présence de forces tout aussi respectables, tout aussi puissantes l'une que l'autre, qui ne sont ennemies que dans la mesure où l'une des deux parties, par faiblesse, tente de combler son manque d'assurance par un déploiement de haine. Pour chaque homme l'issue sera la même. Il ne sert à rien de vouloir défier la mort, il ne sert à rien de vouloir l'ignorer non plus. Elle est là, et elle fait partie de notre cheminement, non pas comme une défaite, non pas comme un échec inévitable, mais comme un point vers lequel nous nous dirigeons et dont nous nous rapprochons un peu plus à chaque instant. Ainsi ce n'est pas la victoire sur la mort qui donne à l'homme sa grandeur, mais bien la noblesse, le courage avec lesquels il mène son combat pour sa vie à lui et pour la vie de ceux qu'il a choisi d'aimer.

Je l'écoutai parler presque religieusement et je souhaitais que son discours s'imprègne profondément dans mon esprit. Bien sûr je me battrais afin de vivre, bien sûr je lutterais afin de demeurer auprès de mon mari et de mon enfant que j'aime par-dessus tout, bien sûr je promis à cet ami fidèle de ne pas sombrer dans le désespoir, mais comme il m'est difficile de tenir une telle promesse lorsque, seule, je deviens soudainement abattue. Je me répète les propos de l'abbé Laplante, je m'efforce de me rappeler que le premier pas à faire est celui de l'acceptation et que cette démarche n'est en rien synonyme de résignation. Les journées s'écoulent vingt-quatre heures par vingt-quatre heures et il faut désormais que j'accorde ma vie à ce rythme. Je dois me réjouir de chaque jour qui passe car c'en est un de gagné et c'est là que se trouvent ma récompense et ma victoire. J'essaie de me redire tout cela et d'y croire le plus sincèrement possible, mais la partie est loin d'être gagnée. L'abbé Laplante me téléphone quotidiennement et je bois ses paroles. Je sais que le jour où j'aurai accepté l'épreuve qui m'afflige, il me sera plus facile de vivre avec elle et, du même coup, de la vaincre mais je n'en suis pas encore là. En ce moment je me sens immensément fébrile et sans ressource; je veux bien me battre, mais que l'on me donne des armes.

Ma famille est aussi au désarroi de savoir ce qui m'arrive. Tour à tour chacun des miens me téléphone ou vient me voir. Personne ne peut croire que j'aie le cancer, personne ne peut accepter qu'il en soit ainsi. Je vois leur malaise, certains d'entre eux n'osent rien dire, d'autres essaient de me consoler, de m'encourager. Il faut avoir foi en la vie et faire confiance en la médecine. Leur présence m'est chère, car bien que nous soyons tous impuissants devant un tel malheur, l'amour, l'amitié sont d'un grand réconfort. Au moins je ne suis pas seule et je sais que je peux compter sur eux, qu'ils m'aideront. Leurs visites m'empêchent de me replier sur moi-même et sur ma peine. Certes, je vois bien à quel point ils sont tristes et même abattus par cette terrible réalité.

35

Mais je ne peux guère les consoler, je ne suis pas encore assez forte pour cela. Quelquefois j'ai l'impression d'être la cause d'un trouble profond, comme si je devenais tout à coup une sorte de mauvais augure. J'avoue que cela me fait mal. C'est un peu comme si j'apportais, parmi eux, l'angoisse et l'inquiétude. Sans le vouloir, je leur fais réaliser que le malheur, ça n'arrive pas qu'aux autres. J'incarne une vérité que chacun de nous essaie de fuir. Il m'est difficile de supporter certains regards bien que je comprenne qu'il en soit ainsi. Ils devront eux aussi accepter de faire face à cette réalité. Un jour viendra sans doute où je me sentirai différente. La torpeur réussira peut-être à activer dans mon âme la fermentation d'une force nouvelle.

Pour l'instant je déploie des efforts surhumains afin de contrôler ma peur. Deux médecins sont venus me voir cet avant-midi. Ils veulent pratiquer une opération au cours de laquelle ils procéderont à l'ablation de la rate, à une biopsie du foie et à la transplantation des ovaires. Ils vont également ligaturer les trompes et enlever les ganglions du ventre. J'avoue que j'appréhende grandement cette opération. Je me sens si faible et si démunie. Serai-je capable de tenir le coup, mon corps aura-t-il assez de force? Et s'il fallait que je meure! Non, je ne dois pas songer à cela. Les médecins m'ont affirmé que mon état permettait cette intervention qui, de plus, s'avère nécessaire. Et puis je n'ai d'autre choix que celui de leur faire confiance, sinon c'est le chaos. Je dois, ce soir, mettre Jacques au courant. Il aura beaucoup de peine. Nous ne pourrons plus avoir d'enfant, mais il comprendra que l'on ne peut risquer de mettre au monde des êtres qui seraient peut-être infirmes. Et tout cela à cause de moi, à cause de ce corps qui n'est pas bon! Non, je ne dois pas me laisser envahir par des pensées aussi négatives, cela ne sert à rien et, de plus, je serais injuste envers moi-même. Non, je dois rester calme et essayer de faire face aux événements de façon rationnelle. Bientôt Louison, la jeune aide-infirmière, viendra porter mon souper, et puis après, je verrai Jacques; je tenterai de lui expliquer tout cela très doucement, très posément, et je lui demanderai de signer la formule qui autorisera les médecins à m'opérer au niveau des organes génitaux. Après son départ l'infirmière viendra. Elle m'apportera des médicaments et veillera à ce que je sois confortable pour dormir. Puis, graduellement, les lumières s'éteindront, le bruit des pas cessera, les portes, l'une après l'autre, se fermeront et ce sera la nuit, la longue nuit.

* * *

— Non, partez, allez-vous-en, je ne veux plus vous voir. Disparaissez!

Deux infirmières me regardent, stupéfaites. Elles ne comprennent pas ma soudaine violence. Elles croyaient sans doute que j'allais les remercier de leurs bons soins. Eh bien, non, je ne leur suis pas reconnaissante. Voilà que je me réveille, que je sors d'une longue inconscience, et autour de moi il y a tous ces lits dans lesquels souffrent d'autres malades. Ils sont jeunes, ils sont vieux, mais ils sont misérables, tout aussi misérables que je le suis moi-même. Non, ces deux femmes ne comprennent pas que l'on puisse être déçue de se retrouver en vie. Comment expliquer que, me croyant morte, j'étais enfin heureuse. Je ne sais pas si cela s'est produit pendant ou après l'opération, mais à un certain moment j'ai entendu une voix qui disait: « On ne sent plus son pouls, sa pression est à quarante » et l'on s'est affairé autour de moi. Cependant, je ne sentais plus rien. Mon corps n'existait plus, j'étais enfin délivrée et j'ai cru que ce grand bien-être, que cette grande paix ne pouvait être autre chose que la mort. Ce fut un extraordinaire sentiment de repos, d'abandon. Ne plus être, ne plus avoir à lutter, exister au-dehors de soi, flotter dans un grand vide et ignorer à tout jamais l'espace de son corps. Non, jamais je n'avais connu un tel bonheur. Je me disais que l'on était bien fou de craindre autant la mort puisqu'elle était si douce, si sereine. Chère illusion, douce rêverie, que ne suis-je à tout jamais restée du côté de ton ombre! Il a fallu que la lumière déchire le voile précaire de tes bornes. Et me voilà aujourd'hui plus abattue encore que je ne l'ai jamais été auparavant. Non, petites dames, debout devant moi, je ne crois pas que je saurais expliquer la cause de mes larmes en ce moment. Mais, si vous me regardez bien, vous verrez que je ne vous en veux pas. Vous n'y êtes pour rien, c'est un petit tour que ma tête m'a joué. Bien sûr, je vais me réhabituer à vivre, à souffrir dans ce corps qui est le mien et que je ne peux changer.

— Excusez-moi, gardes, je suis un peu perdue.

La plus âgée des deux infirmières s'approche de moi et me sourit. Elle prend mon bras et s'apprête à vérifier ma tension artérielle.

— On comprend ça, madame Moineau. Vous avez subi une grave opération, mais tout va bien maintenant. Vous allez voir, vos forces vont bientôt revenir. Restez calme.

Je lui fais signe que oui et la laisse continuer son travail. Malgré moi je pleure. Je suis infiniment triste. Je ne sais plus trop bien comment je vais m'en sortir et je me sens si désarmée. Mais voilà que je reconnais cet homme vêtu de blanc qui s'approche de mon lit. Marcel, mon beau-frère, travaille dans ce même hôpital. Il sourit.

— C'est bon de te voir réveillée. Depuis sept jours on s'inquiétait. Mais on savait bien que notre Thérèse ne nous lâcherait pas.

— Oh non! je ne vous ai pas lâchés. Regarde-moi. Je ne peux plus rien faire maintenant. Je ne sais vraiment pas pourquoi je m'entête à rester en ce monde.

— Voyons, Thérèse, c'est parce que tu es faible que tu dis des choses pareilles. Il est normal que tu te sentes déprimée après une opération, mais tu iras bientôt beaucoup mieux. Et tu es forte, tu es jeune. La vie est si bonne, Thérèse.

— Oui, la vie est bonne lorsqu'on peut en jouir. Mais moi, que puis-je faire de ma vie?

— Tu es injuste et, surtout, tu te sous-estimes. Donne-toi le temps de récupérer tes forces et tu vas voir.

— Oui, Marcel, tu as peut-être raison. Je te remercie.

— Écoute, je dois retourner en bas travailler, mais dès que j'aurai une chance je reviendrai te voir. Sois patiente et repose-toi.

Je le vois qui s'éloigne mais je suis de nouveau si fatiguée. J'aimerais pouvoir dormir encore long-temps. Sept jours d'inconscience, mon Dieu, pourquoi ne m'avez-vous pas laissée dans ce grand nuage? C'est tellement difficile de refaire surface et de réintégrer sa vie. J'avais oublié mon corps, maintenant je le retrouve et il me fait mal. Là, dans mon ventre, la douleur renaît et l'on dirait que le souffle me manque. Chaque respiration est ardue. Je devrai donc encore lutter?

*   *   *

Ce matin, le soleil d'octobre a frôlé mon visage. Quelle douce sensation! Je n'étais pas sortie à l'extérieur depuis plus d'un mois. Comme cela était bon de respirer l'air frais, de sentir le vent! Evidemment, je ne suis pas demeurée très longtemps dehors. L'on a déposé la civière dans laquelle j'étais allongée près de l'ambulance. Puis, après quelques secondes, je fus soulevée de terre et je me retrouvai dans le véhicule. Heureusement, j'étais près d'une petite fenêtre par laquelle je pouvais voir défiler la ville dans ses couleurs d'automne. Je ne crois pas qu'un paysage ait jamais eu autant de charme à mes yeux. Il me semblait que chaque arbre, chaque feuille, chaque rayon de soleil étaient infiniment précieux, uniques en quelque sorte. J'étais ébahie, mais aussi nostalgique. Qui me dit que je ne voyais pas toutes ces rues pour la dernière fois? Cependant je ne pleurais pas car il me faisait trop plaisir de me retrouver, le temps d'un intermède, du côté du monde où la vie triomphe. Je songeais à ma petite fille qui devait sans doute s'amuser avec les feuilles. Elle en ramasse peut-être quelques-unes, les plus grandes et les plus rouges, qu'elle met ensuite à l'abri entre les pages d'un gros livre. Sans le savoir elle les sauve d'une mort anonyme. Ces feuilles vivront en secret, silencieuses comme les mots imprimés sur les pages qui les protègent. Un jour, quelqu'un ouvrira l'épais volume et sera surpris de les trouver encore belles, encore jeunes malgré le temps. Je comprends maintenant pourquoi les feuilles mortes trouvent refuge dans les livres. C'est parce qu'ils se ressemblent, ne prenant vie que sous le regard de celui qui, par hasard, s'y attarde.

Tout au cours du trajet qui m'amenait vers l'Hôtel-Dieu de Québec, Monique est restée auprès de moi. Elle tenait ma main, me souriait et je songeais, en la regardant, à toutes nos années d'amitié. Comment pouvais-je lui dire à quel point j'étais heureuse de l'avoir auprès de moi? Je n'avais d'autre mot à lui offrir que ce merci si souvent répété à propos de tout et de rien. Cette courte promenade, qui semblerait ridicule à toute personne bien portante, me parut extraordinaire. Je me sentais si bien, presque libre. Et j'étais si contente de me trouver ailleurs que dans ma chambre aux murs trop hauts, trop lisses.

Bientôt nous approchâmes de l'Hôtel-Dieu. Lorsque je vis, par le petit carreau, les hauts murs de pierre qui bientôt nous encerclèrent, je compris que nous étions arrivés à destination. J'eus un pincement au cœur. La promenade était terminée. J'allais à nouveau me trouver du côté du monde où la chaleur du soleil ne pénètre pas. Instinctivement je cherchai le regard de Monique; je serrai sa main de plus en plus fort. Comme pour me consoler elle me dit que le voyage était enfin fini et que je pourrais maintenant me reposer. J'agitai la tête de façon négative, mais je ne crois pas qu'elle ait compris à quel point

41

j'étais déçue. L'on ouvrit les portes de l'ambulance et des infirmiers ont empoigné ma civière. Je dus laisser la main de Monique. Pendant quelques secondes je fus à nouveau dehors. Contrairement à la première fois, cette brève sortie me rendit encore plus triste. « Laissez-moi dehors, laissez-moi sentir le vent, aurais-je voulu crier. J'en ai assez d'être enfermée, comprenez-vous? » Mais ma voix demeura silencieuse. L'on a ouvert les grandes portes vitrées à l'entrée de l'hôpital; lorsqu'elles se sont refermées, tous y faisaient dos sauf moi, allongée sur la civière que des mains fortes poussaient. Je les ai vues, moi, ces portes qui se dressaient tel un mur hypocrite, telle une frontière invisible qui m'éloignait de la vie. Mais bientôt je fus engouffrée à l'intérieur d'un dédale de corridors aux murs brunâtres. La lumière éclatante des néons choqua mes yeux qui regrettaient la douce lumière du jour. Les roues de la civière obéissaient aux bras des infirmiers. Des portes s'ouvraient, d'autres se refermaient, des fenêtres défilaient, des figures brusquement surgissaient pour disparaître l'instant d'après. A chaque tournant je me retrouvais dans un espace différent, de plus en plus anonyme, de plus en plus éloigné de la chaleur du jour. J'ignorais totalement notre destination. Je ne pouvais que suivre le cortège, à cette différence près que le rôle du mort, c'est moi qui le tenais. Monique marchait à l'arrière tenant son sac avec ses deux mains appuyées sur son ventre. Devant elle, un homme, qui quelquefois me souriait, veillait à ce que la civière prenne le bon chemin. Les odeurs se succédaient, les couleurs aussi, mais tout était terne. Arrivés à un certain endroit nous dûmes ralentir. Des lits, de chaque côté des murs, bloquaient l'allée.

Des gens s'y trouvaient couchés ou assis. Ils attendaient, quelques-uns en silence, d'autres en s'agitant ou en se plaignant. Il y avait là un va-et-vient formidable. Des infirmières s'approchaient des malades, des jeunes filles poussaient des chariots remplis de petites bouteilles qui s'entrechoquaient et produisaient un tintement léger qui contrastait avec l'ensemble des autres bruits plutôt sourds et difficilement identifiables. Quelques hommes se trouvaient là, vêtus de blanc. Ils parlaient soit entre eux, soit aux malades au-dessus desquels ils se penchaient. Presque tous ces hommes tenaient entre leurs mains une sorte de cartable sur lequel ils se mettaient à écrire rapidement. Près de moi un médecin discutait avec une vieille femme allongée dans un de ces lits d'occasion. Sa voix nasillarde emplissait le corridor.

— Quand avez-vous commencé à avoir mal, Madame?

— Ça fait longtemps, docteur. Il y a peut-être six mois, j'ai eu une grosse douleur au ventre pendant la nuit, et puis quelquefois, après le repas, j'avais comme une barre ici. Mais je pensais que c'était dû seulement à la mauvaise digestion.

— Alors, ça fait six mois et vous n'avez pas consulté votre médecin?

— Bien, je ne croyais pas que ça pouvait être grave. Et puis, vous savez, l'année dernière, j'ai été opérée pour le foie et, vraiment, je n'avais pas envie de revenir ici.

— Et pourquoi êtes-vous revenue ce matin?

— Bien là, il fallait que je fasse quelque chose. Depuis trois jours, j'ai mal sans arrêt. Je ne pouvais pas continuer comme ça.

— Bon. On va essayer de voir ce qui ne va pas.

Mais quand on prend les choses à temps c'est toujours plus facile. Là je vais vous envoyer mon assistant. Il va vous examiner et on va vous passer des tests. Vous allez attendre ici.

Le médecin allait repartir, mais la femme l'a attrapé par le bras.

— Est-ce que vous allez me garder longtemps, docteur?

Il se retourna et, enfin, lui sourit.

— Ne vous inquiétez pas. Tantôt on pourra vous donner des informations plus précises. Ce ne sera pas trop long.

Et il tapota la vieille main blanche et tremblante qui ne voulait pas le laisser. Le front de la dame s'était toutefois déridé. Ces quelques paroles et sans doute surtout ce sourire enfin donné, enfin accordé malgré le temps qui pressait et les autres malades qui attendaient, avaient réussi à apaiser l'angoisse.

Notre cortège attendait toujours que l'on dégageât l'allée. Deux infirmières sont venues vers nous. Elles se sont informées de la raison de notre arrivée et ont donné des instructions aux infirmiers qui bientôt se remirent en marche vers les ascenseurs. Nous montâmes ainsi jusqu'au troisième étage et l'on m'emmena dans une chambre dont les murs, encore une fois, étaient peints en vert. Après m'avoir installée dans le lit, les deux infirmiers prirent congé en me saluant gentiment et je restai seule avec Monique. « C'est étourdissant de se faire trimbaler comme ça », lui dis-je. Et elle acquiesça. Je lui indiquai les endroits où je voulais que mes choses fussent rangées et elle s'occupa patiemment de tout mettre en place. Quand elle eut terminé, elle s'assit près de moi sur le lit et prit mes mains dans les siennes.

— Comment vas-tu, Thérèse?

— Je suis un peu fatiguée.

— Je crois que je vais te laisser maintenant. Tu as besoin de te reposer.

Et elle passa sa main sur mon front. Je me sentis pareille à une enfant que l'on borderait. J'avais honte. Je ne me reconnaissais plus, moi, la femme toujours en forme. Mon regard se porta inévitablement vers les grandes fenêtres qui se trouvaient à ma droite.

— Il faisait beau ce matin, n'est-ce pas, Monique?

— Oui, très beau. Le mois d'octobre est splendide cette année.

— Je suis à l'hôpital depuis plus d'un mois et demi maintenant. Mon Dieu, que c'est long! Heureusement que vous êtes là, tous, pour m'aider à passer le temps. Je te remercie beaucoup, Monique, de t'être occupée de moi comme tu l'as fait depuis mon opération. Si tu n'avais pas été là pendant ces trois semaines de convalescence, je ne sais pas ce que j'aurais fait. Jacques t'est aussi très reconnaissant de m'avoir accompagnée ce matin. Il a tellement de travail. C'est un grand service que tu nous as rendu.

Elle m'assura que cela n'était rien et me conseilla d'essayer de dormir. Elle mit son manteau et partit. Je me retrouvai seule dans la chambre, épuisée mais désespérément éveillée. Qu'allait-il arriver maintenant? L'on avait jugé qu'il valait mieux m'hospitaliser à l'Hôtel-Dieu parce que cet établissement était spécialisé dans le traitement du cancer. Le pavillon Carlton-Auger était très réputé. Sans doute allait-on m'y emmener bientôt. Une infirmière est venue me voir. Sa gentillesse me réconforta et elle répondit à toutes mes questions avec beaucoup de patience.

C'est elle qui m'expliqua que je resterais ici quelque temps afin de subir certains traitements. Le médecin qui s'occuperait de moi était le docteur Maurice Thibault. Je ferais sa rencontre demain matin. La journée s'est écoulée lentement. Jacques, tantôt, est venu me voir et sa bonne humeur m'a fait beaucoup de bien. Il m'a apporté une très belle plante qu'il a déposée sur ma table de nuit. Quand je la regarde, je pense à lui et à sa grande tendresse. Je l'aime.

Il est tard maintenant et mes paupières se font lourdes. Dans ma tête, peu à peu, les images de la journée s'effacent. Je crois bien qu'enfin je pourrai dormir.

* * *

Assise dans une chaise roulante face à une porte close, j'attends. Autour de moi, d'autres malades attendent aussi. Certains parlent entre eux tandis que les plus anxieux, dont je fais partie, gardent le silence. Aucune de ces figures ne m'est familière et les recoins de ce grand hôpital me sont encore inconnus. Je serais bien embêtée d'expliquer à quelqu'un le chemin que j'ai parcouru pour me rendre jusqu'ici. Je sais que je me trouve au sous-sol de l'hôpital, mais heureusement que j'ai eu un bon guide pour m'y reconduire. Cette institution est une véritable ville. Chacun connaît son petit quartier, mais lorsque l'on en sort il vaut mieux suivre attentivement les indications. D'après ce que j'ai pu voir je suis au département de radiothérapie. Dans quelques instants je rencontrerai le docteur Thibault. Une infirmière qui tient dans ses mains plusieurs dossiers prononce mon nom et m'invite à la suivre. Je fais de mon mieux pour me déplacer mais je n'ai pas l'habitude de manœuvrer une chaise roulante. La garde vient à mon aide et, ouvrant la porte, elle me fait pénétrer dans un petit bureau où est assis, derrière un pupitre couvert de papiers, un homme au front haut et large. Bientôt il me regarde et me sourit.

— Bonjour, madame Moineau. Je suis le docteur Thibault. Comment allez-vous aujourd'hui?

— Ça va assez bien, docteur.

— Bon. Je suis content de savoir ça parce que tous les deux nous avons du travail à faire. Vous avez subi une opération dernièrement et vous vous en êtes bien sortie. Les médecins vous ont révélé, je crois, la nature de la maladie dont vous souffrez.

— Oui, en effet. Ils m'ont dit que j'avais le cancer.

— C'est exact, madame Moineau, vous avez le cancer. Les patients auxquels nous annonçons ce diagnostic sont très souvent pris de panique. Ils croient tout de suite qu'ils vont mourir et ils sombrent dans le désespoir, deviennent dépressifs et, de cette façon, ils se font beaucoup de tort. Ils gaspillent des énergies très précieuses qu'ils pourraient utiliser de manière infiniment plus positive. Comprenez-moi, madame Moineau: le cancer est une maladie très grave et difficile à soigner, j'en conviens. Mais les larmes, le repli sur soi sont aussi très dangereux. Vous et moi allons faire équipe à partir de maintenant. Je vais prescrire une série de traitements que vous devrez recevoir. Ce ne sera pas toujours plaisant et je sais bien que les périodes d'hospitalisation sont souvent très longues. Vous vous sentez certainement bien seule, loin des vôtres, loin de votre maison et

vous vous inquiétez sans doute pour votre famille.
Mais nous avons besoin de vous pour vous soigner;
sans votre collaboration et sans votre confiance nous
ne pouvons pas grand-chose. C'est pour cela que je
demande à tous mes patients de s'aimer, de s'aimer
beaucoup et de croire en leur vie car il est vrai que
l'on peut vaincre le cancer. Tant que nous luttons,
madame Moineau, nous vivons. Il ne faut jamais
l'oublier. De mon côté, je vous promets de faire tout
le possible et même tout l'impossible pour vous
soigner de façon adéquate. A chaque jour la recherche scientifique fait des progrès. Beaucoup de traitements ont donné d'excellents résultats. Bien des
personnes ont été guéries du cancer, malheureusement l'on ne parle pas assez de ces guérisons. Le
cancer n'est pas synonyme de mort. Il est synonyme
de lutte et vous devez mettre toutes vos forces dans
ce combat. Accordez-moi votre confiance et vous
verrez qu'ensemble nous pouvons faire de grandes
choses.

— Merci, docteur, merci beaucoup. Vous ne
savez pas le bien que vous me faites. Depuis tant de
jours je ne cesse de me tourmenter, et jusqu'à maintenant je me suis sentie si seule. Vous pouvez compter
sur moi, docteur, je ne vous décevrai pas. Je suis
prête à suivre vos directives. Si vous saviez comme
j'ai envie de vivre. J'ai une petite fille qui n'a que
quatre ans et un mari que j'adore et auquel je veux
être utile.

— Je suis heureux de vous l'entendre dire. Vous
m'avez l'air d'une jeune femme solide qui a du courage. Nous arriverons à obtenir de bons résultats,
vous verrez.

Alors qu'il me parle je ne peux m'empêcher de

48

remarquer que le docteur Thibault a des difficultés à se mouvoir. Au cours de la conversation il a même eu du mal à prononcer certains mots. J'espère que mon étonnement ne l'a pas vexé. Une fois de plus il me sourit en me regardant.

— Vous vous demandez sans doute de quelle maladie je souffre? J'ai eu la poliomyélite lorsque j'étais plus jeune. C'est une vieille histoire. Vous allez maintenant suivre l'infirmière qui va vous emmener jusqu'aux salles de traitements. Vous en recevrez un premier ce matin et ainsi de suite tous les jours pendant un certain temps. Nous nous reverrons à chaque semaine et nous regarderons ensemble les résultats. Soyez courageuse.

L'infirmière est là qui vient me chercher. Elle m'aide à sortir du bureau et pousse ma chaise à travers les corridors. Le docteur Thibault m'a beaucoup impressionnée. Je suis contente qu'un homme comme lui soit mon médecin. Il a dû lutter très fort, lui aussi, pour rester en vie. Vraiment, si je ne m'en sors pas, je suis une lâche.

— Nous sommes arrivées, madame Moineau, me dit l'infirmière.

Et voilà que je me retrouve dans une salle remplie de machines, de caméras. Je me croirais dans un décor servant au tournage d'un film de science-fiction. L'une des techniciennes vient me rejoindre. Elle se nomme Denise. Brièvement l'on m'explique comment l'on procède pour ce genre de traitement. J'avoue que je ne me sens pas rassurée du tout. En fait, j'ai peur. Ces rayons me semblent bien énigmatiques. S'il devait se produire un accident, ou encore que je me sente mal, qu'adviendrait-il?

Denise m'assure que, même si je reste seule dans

la pièce, les techniciennes n'en surveillent pas moins l'opération. Les téléviseurs alignés au centre de la salle leur permettent de voir tout ce qui se passe et elles restent ainsi en contact avec le patient pendant toute la durée du traitement. Je suis bientôt emmenée dans la salle de thérapie où se trouvent déjà plusieurs jeunes filles. Elles voient combien je suis anxieuse, aussi s'empressent-elles de me parler, de me faire rire.

A environ quinze centimètres du sol il y a une petite civière. Je dois m'y allonger. Une fois que je m'y suis couchée, Denise place au-dessus de moi une table de verre sur laquelle elle dépose des plombs afin de protéger certaines parties du corps qui ne doivent pas être exposées aux rayons. Elle me demande si tout va bien puis elle me quitte. Je suis seule maintenant en compagnie de cette grosse machine qui émet des bruits insolites. Je me sens extrêmement vulnérable et minuscule, soudain. J'ai peur, j'ai très peur; si je ne me contrôlais pas je crois bien que je crierais. Mon Dieu! voilà que je réagis comme une enfant. Je dois me maîtriser. Le traitement ne dure que cinq minutes, ce n'est pas la fin du monde. Instinctivement, je suis du regard la caméra derrière laquelle les techniciennes peuvent me voir. Cet œil de métal m'apporte un peu de sécurité, il me donne au moins l'assurance de ne pas être abandonnée. Cependant je ne peux contrôler tout à fait ma nervosité. J'ai hâte que tout cela finisse. Pour une fois, je serai contente de retourner là-haut, dans ma chambre. Je ferme les yeux.

* * *

Esther, ma petite Esther, comme il y a longtemps que je t'ai vue. Tu dois bien te demander ce qui se passe pour que ta maman t'abandonne ainsi. Tu sais cependant que ce n'est pas dans ses habitudes et tu dois te dire qu'il est survenu des choses bien graves pour qu'elle agisse de la sorte. Esther chérie, c'est à toi surtout que je pense aujourd'hui et si je te parle dans ma tête c'est pour me réconforter un peu de cette longue séparation. Si tu savais comme je m'ennuie de toi.

Il m'arrive fréquemment de me tenir des conversations imaginaires. Cela me donne l'illusion de retrouver les êtres chers que je ne peux rejoindre. Quelquefois, dans mes rêves, ils font une brève apparition. Je me réveille tout heureuse et je tends les mains pour pouvoir les toucher. Déçue, je m'empresse de refermer les yeux essayant de rattraper quelques bribes de la précieuse image.

Depuis plus d'une semaine maintenant je reçois les traitements de radiothérapie. Je me suis familiarisée avec ce cérémonial quotidien et il est devenu une sorte d'habitude. Mais chaque fois la même chose se produit: peu de temps après avoir reçu le traitement, je m'endors et je passe presque tout le reste de la journée à sommeiller. Il y a des fois où cette réaction me met en colère. A quoi cela sert-il de vivre si l'on dort tout le temps? Cette réflexion fait sourire l'abbé Laplante qui sait bien, au fond, que je suis fort heureuse de vivre, même si pour cela je dois dormir un peu plus longtemps que tout le monde. Chaque jour, quand je reviens de la salle de thérapie, je communique avec lui. Dans sa voix je reconnais toujours la même jovialité et c'est avec grand plaisir que je le retrouve. Il m'écoute patiemment et me parle avec douceur. Son humour m'est aussi très précieux. Il a le don de dédramatiser les causes de mes inquiétudes. Vraiment, je lui dois beaucoup. Il m'est un ami extrêmement fidèle, j'ignore si je pourrai un jour lui rendre tout ce qu'il me donne. Avec lui je parle fréquemment d'Esther. Jacques, je le sais bien, fait tout pour elle et la gardienne qu'il a choisie assume bien sa tâche sinon il l'aurait congédiée. Mais tout de même, c'est affolant à la fin de savoir son enfant élevée par une femme que l'on n'a jamais vue. Quelquefois, lorsque je téléphone à la maison, c'est elle qui me répond. Elle se nomme Anne-Marie. Sa voix est jeune et me laisse présager qu'il s'agit d'une personne douce, gentille. Cela me réconforte de parler avec elle. Mon Dieu, que j'ai hâte de retourner chez nous, de pouvoir vivre à nouveau parmi ces objets familiers qui font que notre foyer ne ressemble à aucun autre! Attendre, toujours attendre, et surtout espérer. Que de patience il faut pour vivre!

Aujourd'hui je lutte contre le sommeil. Je ne veux pas vivre éternellement comme un légume. L'infirmière qui s'occupe de moi m'a dit qu'au pavillon Calton-Auger les patients jouissent d'une plus grande autonomie. Lorsque je verrai le docteur Thibault, je lui demanderai d'obtenir que je puisse être traitée là-bas plutôt qu'ici. Je n'en peux plus de vivre dans ce décor, parmi les bouteilles de sérum, les seringues et les mourants. J'ai parfois l'impression de passer ma vie dans un aquarium. Cela a assez duré, me semble-t-il. Si je reste ici encore longtemps ce sera la paralysie totale. Je vais finir par croire que je ne peux plus prendre d'initiative. Le docteur Thibault comprendra, j'en suis certaine.

* * *

Ça y est, je vais enfin sortir d'ici! Le docteur
Thibault a obtenu que je sois transférée au pavillon
Carlton-Auger. Je m'y rendrai demain matin. Ce soir
je vais préparer mes bagages. Jacques me trouvera
sûrement très excitée, mais je suis tellement heu-
heuse! Plus qu'une seule nuit à passer entre ces
quatre murs, quel soulagement!

III

Je viens de prendre place à l'une des tables de la cafétéria du pavillon Carlton-Auger. Une jeune femme, allégrement, s'avance vers moi.

— Bonjour, Thérèse. Tu n'es pas en retard ce matin?

— Non, comme tu le vois, je n'ai pas fait la paresseuse. Dès que j'ai entendu la sonnerie du cadran j'ai sauté à bas du lit. D'ailleurs, j'ai bien dormi la nuit dernière. J'ai pu enfin laisser la porte fermée sans avoir peur. Ce que l'on peut être stupide quelquefois!

— Ah! ça oui, tu as bien raison! Tu m'attends une seconde, je vais aller chercher mon petit déjeuner.

— Bien sûr, Barbara, je te garde une place à côté de moi.

Barbara est ma voisine de chambre au pavillon. Je l'ai connue dès mon arrivée ici. Nous sommes devenues amies très vite et j'en suis fort heureuse. Cela fait du bien de pouvoir parler, rire, sortir avec quelqu'un que l'on aime bien. De plus nous sommes presque du même âge Barbara et moi. Son humeur joviale et sa douceur réconfortent. L'atmosphère qui règne ici est bien différente de celle de l'hôpital. Nous devons organiser nous-mêmes l'horaire de nos journées. Toutefois il faut que nous nous présentions au moment convenu pour nos traitements, et tout le monde est prié de se rendre à huit heures à la cafétéria pour commencer la journée du bon pied en prenant un petit déjeuner. Nous pouvons disposer librement des heures qu'il nous reste. Evidemment, il arrive que nous ne soyons pas toujours assez en forme pour aller faire un tour à l'extérieur. Mais au moins nous savons que nous ne sommes pas enfermés ici et c'est cela qui importe. Jacques trouve que je vais vraiment beaucoup mieux depuis quelque temps. Il est vrai que je me sens plus forte. Je rêve parfois du jour où l'on va me dire: « Allez, vous êtes guérie. » Mais ce serait peut-être trop beau. Je dois encore faire preuve de patience. Je m'en sortirai, je le crois maintenant.

— Oh! Thérèse, quel beau sourire sur ta figure! Tu es belle à voir ce matin. Aurais-tu rêvé au prince charmant?

— Non, Barbara, en fait je rêve éveillée. Je pense que l'on me permettra peut-être de retourner dans ma maison un de ces jours, et cette idée me rend folle de joie.

— Oui je comprends. Ça viendra, tu verras.

Barbara habite dans ce pavillon depuis assez longtemps. En fait il y a bientôt deux ans que l'on a dépisté chez elle la présence du cancer. Parfois, lorsque je la regarde, je me dis qu'un jour je serai appelée à faire comme elle: j'accueillerai moi aussi une nouvelle cliente à l'hôtellerie. Lorsque je suis arrivée ici et que l'on m'a dit que j'étais une cliente et non pas une patiente, je fus un peu surprise. Je compris ultérieurement l'importance de ces détails. Tous les gens qui travaillent dans le pavillon essaient de faire en sorte que les malades puissent avoir une vie normale. Chacun d'entre nous est d'abord et avant tout un être humain. A force de se considérer soi-même comme un patient, l'on finit par adopter une attitude de dépendance qui, évidemment, se révèle néfaste. Toujours dans le même esprit, cette ancienne école d'infirmière transformée en centre de soins pour les gens atteints du cancer se nomme l'Hôtel-lerie. Au début j'avais l'impression qu'il s'agissait là d'une sorte de mascarade. Cependant je me rends compte aujourd'hui que cette organisation nous aide en effet à retrouver notre véritable identité. Nous sommes, bien sûr, contraints par la maladie dont nous souffrons. Toujours il faut en tenir compte. Nous devons mettre l'administration au courant de nos déplacements. Jusqu'à un certain point, nous vivons en liberté surveillée. Mais même si j'ai quelquefois l'impression de revivre mes années de couvent, je préfère cet endroit à l'hôpital.

Je dois maintenant prendre congé de Barbara. Le moment est venu pour moi de me rendre à la salle des traitements. Nous nous retrouverons cet après-midi au salon.

* * *

Barbara se tient debout face à la grande fenêtre par laquelle le soleil s'infiltre dans la salle de repos. Sa main se promène sur la vitre. Autour d'elle, des gens discutent, ou bien jouent aux cartes, mais elle ne semble pas les entendre. Toute sa silhouette est tendue vers la chaleur qui de loin la caresse. Son front se colle à la vitre et bientôt sa tête se tourne à demi. Je vois ses yeux se fermer lentement comme s'ils allaient voir de plus près ce qui se passe dans ce cœur qui bat, dans cette âme qui se tourmente. Des paupières closes qui se font gardiennes d'un secret et qui isolent du reste du monde pendant quelques instants. Barbara, chère Barbara, où te trouves-tu maintenant? Je vois ta main qui s'écarquille, tes doigts qui s'ouvrent telle une fleur vers laquelle peut-être en rêve tu te penches. Où es-tu, Barbara? Que cherches-tu ainsi? Un peu de bonheur, un peu de tendresse? Tu sens peut-être monter en toi le désir d'une grande douceur et cette envie se répand partout dans ton corps fragile et tu souhaiterais trouver quelque part dans cet espace un recoin où tu puisses t'enfouir à tout jamais. Ton corps silencieux retient le cri qui gronde dans tes os. Les plis sur ton visage sont autant de craquelures qui risquent de faire s'effondrer le masque dont tu façonnes le moule chaque matin. Nue et fébrile, tu te vois et te connais. Solitaire et lointaine, tu traînes, avec patience et résignation, le poids des jours qui s'accumule sur ta peau. Tu attends. Oui, je sais que tu attends et je crois aussi connaître le but de ton attente. Quelquefois, lorsque je te dis à quel point j'ai hâte de retourner dans ma maison auprès des miens, je sens ton regard se poser sur moi comme une pierre. La plupart du temps tu ne me réponds pas. Il arrive aussi que tu baisses les yeux et que tu te mettes à parler d'autre chose. Chaque fois je regrette mes paroles et je crains de t'avoir fait mal. Mais je te soupçonne aussi de me cacher quelque chose. Si tu te tais, c'est peut-être par pudeur. Tu n'oses pas me dire que ma hâte, mon empressement, mon espoir ne sont que de bien précaires illusions. Car toi, Barbara, espères-tu encore? Je me le demande. Quand je te vois, comme en ce moment, te réfugier au-dedans de toi, si loin du monde qui t'entoure, je me dis que ton âme a dû choisir le feu d'un autre soleil, et ce soleil, c'est au creux de ton corps qu'il gravite, c'est au cœur même de ta vie qu'il brûle. J'ai mal de te voir ainsi. Je ne peux rien contre les murs de ta solitude. Je ne peux transgresser les bornes derrière lesquelles tu t'enfermes. Mais surtout, Barbara, je ne veux pas te suivre sur ce chemin-là, je m'y refuse. Je veux vivre, coûte que coûte, Barbara, je veux vivre.

Et les autres continuent de parler, de jouer, et aussi de pleurer. Chacun passe le temps à sa façon. Certains malades ont choisi, comme sujet de conversation privilégié, l'objet même de leurs douleurs. Des heures durant ils passent en revue toutes les étapes de leur lente agonie. Ils n'omettent aucun détail. À les entendre parler ainsi je me demande parfois si ces gens sont conscients d'être les héros de la tragédie qu'ils se plaisent à raconter. Le langage a sans doute le pouvoir d'exorciser certaines craintes. Malheureusement, le verbiage n'a aucun effet sur moi si ce n'est celui de m'angoisser. Monsieur Lapointe aurait bien voulu que j'aille grossir le cercle de son auditoire. Au début de mon séjour ici, chaque fois que j'entrais dans la salle de repos je le voyais apparaître près de moi. Il commençait à me parler, à me dire toutes les souffrances qu'il avait endurées, et toutes celles qui l'attendaient encore. Il me mettait en garde contre les médecins et les infirmières: « Je vous le dis, moi, ils ne savent pas ce qu'ils font, ils nous prennent pour des cobayes, ils se servent de nous. Prenez, l'autre jour ils ont essayé de me... » Et le voilà qui était parti sur le chemin d'un long monologue que j'essayais de perdre de vue dès qu'un détour se présentait. Mais essayez donc d'arrêter une voiture qui n'a pas de frein! J'avoue que la première fois que je le rencontrai, je fus grandement impressionnée. Je l'écoutais religieusement et plus il s'animait plus j'avais peur. A la fin, j'étais toute transie. Il me quitta, l'heure du souper venue. J'étais tellement retournée par son discours que je n'osais plus me lever de mon siège. Barbara avait remarqué ce petit manège. C'est elle qui vint me trouver. « Alors il t'a eue toi aussi », me dit-elle en riant. Je la regardai, un peu surprise, ne comprenant pas ce qu'elle voulait insinuer. « Viens souper », insista-t-elle, et je la suivis. Arrivées à la cafétéria elle me montra monsieur Lapointe assis au bout d'une table autour de laquelle s'étaient réunies une dizaine de personnes. Il avait l'air joyeux et il parlait encore. « Il ne faut pas que tu te laisses influencer par ces gens-là. Ce n'est pas leur faute, ils ont peur, ils ont très peur et ils se sentent rassurés lorsqu'ils voient devant eux quelqu'un qui a encore plus peur qu'eux. Mange, maintenant, sinon tout va être froid. » Et Barbara entama son repas avec le plus bel appétit du monde. Nous rions maintenant toutes les deux lorsque nous nous remémorons cet épisode. J'avais, paraît-il, les yeux ronds comme des cinquante sous et la figure plus pâle que celle d'un fantôme.

— Aimeriez-vous vous joindre à notre groupe d'artisanat, madame Moineau? L'instructrice vient d'arriver.

La voix tremblante de madame Deschamps me tire de la rêverie.

— Je ne sais pas, je ne suis pas très habile pour ces choses-là. Mais je passerai vous voir tantôt. Si ça ne semble pas trop difficile, j'essaierai peut-être.

— D'accord. Vous serez la bienvenue.

Et la vieille dame s'empresse de se rendre dans un coin de la salle où, assises en rond, d'autres femmes ont déjà commencé à faire bouger les aiguilles. Madame Deschamps n'a sûrement pas besoin de cours d'artisanat. Ses doigts agiles travaillent sans qu'elle ait même besoin de les regarder courir. Toujours souriante, toujours gentille, elle vit parmi nous sans faire de bruit. Elle participe à toutes les activités et elle me fait parfois songer à une écolière du temps jadis, docile, sans reproche. Une nuit, je l'ai entendue pleurer. Sa chambre est au même étage que la mienne, au fond du corridor. Comme cette nuit-là je n'arrivais pas à dormir la porte fermée, j'entendais tout ce qui se passait aux alentours. Aussi je distinguai bientôt un petit râlement. Au début, ce son insolite me fit peur car je n'arrivais pas à l'identifier. Mais, en tendant l'oreille de façon plus attentive, je me rendis bien compte qu'il s'agissait là d'une plainte. Que faire? J'essayai de l'oublier. Je me dis qu'une infirmière viendrait sûrement en aide à ce patient. Mais voilà que les minutes s'écoulaient sans qu'aucun pas ne résonnât dans le long couloir. A la fin, je n'y tins plus. Cette voix chevrotante, solitaire dans la nuit, me faisait mal. Je me levai et mis vitement mon peignoir sur mes épaules. J'allais passer le seuil de la porte lorsque, soudain, je me mis à hésiter. Si cette personne était en train de mourir, s'il fallait que j'arrive au moment où elle rende l'âme, que ferais-je? Cette fois je me sentis prise de panique. Je ne savais plus où aller. Devais-je rester dans ma chambre, me barricader derrière la porte pour fuir cet appel lancinant, ou devais-je, au contraire, me rendre jusqu'à lui? Finalement je décidai de suivre mon instinct. Je sortis dans le corridor et me dirigeai lentement vers l'origine de cette voix. Bientôt je me retrouvai vis-à-vis de la chambre de madame Deschamps. Je frappai à la porte, appelai le nom de la vieille dame et n'obtins pour seule réponse que la même plainte chantante. Je frappai à nouveau, et le résultat fut le même. J'étais incapable d'ouvrir la porte puisque celle-ci était fermée à clé. Je décidai donc d'aller chercher de l'aide. Lorsque j'arrivai au petit bureau où se trouvait en permanence un gardien, il fut très surpris. Je lui expliquai ce qui se passait et il s'empressa de me rassurer. Cela se produisait souvent. Il s'agissait peut-être seulement d'un mauvais rêve; de toute façon il irait voir tout de suite la patiente. Je l'accompagnai jusque dans le couloir. Il me demanda de retourner dans ma chambre et d'essayer de dormir. Je l'écoutai. Cependant, lorsque j'entendis s'ouvrir la porte au fond du corridor, je fis demi-tour et je m'y rendis moi aussi. Je restai toutefois dans l'embrasure de la porte. Madame Deschamps avait ouvert les yeux et le gardien était penché au-dessus d'elle; il la quitta quelques secondes afin d'aller lui chercher un verre d'eau. La vieille dame semblait agitée, ses petites mains dessinaient quelque chose sur un tableau invisible. Je n'entendais pas ce qu'elle racontait mais cela me faisait du bien de la voir bouger. Le jeune homme se mit bientôt à replacer les draps du lit et c'est alors que madame Deschamps tourna la tête vers moi. Elle eut l'air étonnée de me trouver là, mais elle se prit à me sourire. De ses yeux mouillés coulaient deux larmes silencieuses qui descendaient le long de ses joues ridées qui de plus en plus se plissaient. Elle leva lentement la main dans ma direction. J'eus l'impression qu'elle me dit: « Allez en paix, ce n'est rien, ne vous occupez pas de moi », et je me sentis tout à coup pleine d'affection à son égard. J'aurais voulu courir vers elle, poser ma tête entre ses mains, baiser ses doigts tremblants et lui dire qu'elle n'était pas seule. Mais je restai là, appuyée contre la porte et ce fut à mon tour de lui sourire, d'essayer de lui dire que je comprenais. Je retournai dans ma chambre rassurée mais songeuse. J'appris plus tard que madame Deschamps n'avait plus de famille. Son mari était mort depuis quatre ans et son unique fils travaillait aux États-Unis. Elle n'avait jamais voulu le suivre là-bas. Elle préférait finir ses jours ici, dans son pays. Il lui arrivait souvent de rêver la nuit et de se plaindre. Le personnel du pavillon y était habitué. Presque chaque fois c'est de son mari dont elle rêvait. Elle le voyait marcher le long d'un quai. Il portait sur son dos un énorme sac. Ses pas se faisaient lourds et ses pieds, enfermés dans de grosses chaussures noires, avaient du mal à quitter le sol. En le voyant ainsi, madame Deschamps ne pouvait s'empêcher de l'appeler. « Philippe, criait-elle, Philippe, je suis là, regarde-moi », mais jamais il ne l'entendait, jamais il ne se retournait. Elle pleurait. « Pourquoi le bon Dieu ne vient-il pas me chercher? » demandait-elle lorsque quelqu'un la réveillait au milieu de son rêve. « Philippe m'attend au ciel, je serais si bien près de lui. Mais je vais aller le rejoindre bientôt, je vous le dis », assurait-elle alors. Et les journées passent sans que madame Deschamps ne se plaigne. Au contraire, elle a pour chacun de nous une bonne parole ou un sourire. Ici chacun est seul. Chacun porte le secret de ses angoisses. Barbara est l'unique personne avec qui je puisse parler ouvertement. J'admire son équilibre moral. Même si quelquefois je la trouve un peu trop silencieuse, jamais elle ne laisse transparaître sa tristesse ou son désespoir. Elle garde sa peine au creux de son âme. Bien sûr, je devine souvent la douleur qui la gruge, mais je ne lui en parle pas. Je la laisse avec elle-même, elle connaît le moyen de trouver sa propre paix. Barbara ne se tient plus à la fenêtre. Elle est assise dans le fauteuil rouge au fond de la salle et elle lit. Sans doute a-t-elle senti que je la regardais car elle lève la tête et me fait signe des yeux que tout va bien. Cela me rassure. Je vais donc aller rejoindre madame Deschamps et son groupe d'artisanat.

*   *   *

Le ciel est clair et le soleil frappe durement le sol recouvert de neige. Cette lumière stridente blesse le regard mais peu importe, je ne me lasse guère de promener les yeux sur cette immense surface blanche aux scintillements ardents. Je marche de par les rues de Québec et mon pas me semble léger. Cet après-midi je rencontrerai le docteur Thibault et la garde qui me l'a annoncé m'a laissé entendre que j'aurais sans doute de bonnes nouvelles. Nous sommes à la fin du mois de novembre, le temps des fêtes approche, peut-être va-t-il me renvoyer chez moi. J'ai bien suivi tous les traitements et, d'après les dernières radiographies, mon état s'améliore. Qui sait, il se peut que je sois guérie! Toute cette lutte, toute cette patience n'auraient peut-être pas servi à rien. Mon Dieu, quand je pense que demain je pourrais me retrouver dans ma maison auprès de Jacques et d'Esther, ce serait trop beau! S'il fallait que ce soit vrai! Il me semble que je ne pourrais pas tenir en place. Je n'aurais pas assez de mes yeux et de mes mains pour tout voir et pour toucher à toutes ces choses dont je suis séparée depuis si longtemps.

Des enfants jouent dans le parc de l'autre côté de la rue. Ils font un bonhomme de neige. Je les entends rire, je les entends se chamailler. Esther aussi doit aller jouer dehors. La première neige, c'est toujours excitant. Et il y en a partout. Ils n'ont pas encore eu le temps de déblayer les rues. La ville a l'air toute propre, toute neuve. L'on se doute qu'il fait bon dans les maisons. Les femmes ont sorti leurs manteaux de fourrure et les hommes ont de belles joues rouges. Quand j'ai regardé par la fenêtre ce matin et que j'ai vu que tout était blanc, j'ai eu envie de sortir, de marcher, de courir. Je voulais sentir le froid sur ma peau et goûter au soleil qui plongeait dans la neige. Mon cœur bat à un rythme nouveau. Il se peut que dans quelques heures je redevienne la femme que j'étais. Je serai à nouveau libre, à nouveau heureuse. Je retrouverai mon foyer et mes deux chers amours. Je n'aurai plus à demander de permission pour sortir et la nuit, lorsque je m'endormirai, ce sera dans mon lit à moi, auprès de l'homme que j'aime. Je ne serai plus en captivité et ne craindrai plus la solitude. Que le soleil est bon, comme l'air est frais! Je voudrais toujours me sentir aussi heureuse, aussi libre. Mon Dieu, faites que mon rêve se réalise, je vous supplie de m'épargner, faites que je ne coure pas au devant d'une déception. S'il fallait qu'il en soit ainsi, je crois qu'il vaudrait mieux que je meure maintenant, tout d'un coup. Il y a une chanson qui dit: « Lorsqu'on est heureux, l'on devrait mourir », eh bien, je pense que c'est vrai. Il y a des malheurs trop durs, des souffrances trop atroces. Comment fait-on pour passer à travers la vie? Je m'étonne quelquefois de trouver autant de force chez les êtres qui souffrent. Moi-même je ne comprends pas toujours d'où me viennent le courage et surtout l'envie de vivre et de vivre encore malgré la maladie qui me tourmente. Qu'est-ce au juste que l'espoir? Une illusion, une confiance aveugle à laquelle l'on s'accroche désespérément. Une voix au fond de nous qui dit: « Non, non, non » et qui repousse les plaintes et les larmes. Une voix qui défie le destin et qui, dans la plus grande solitude, décide de se mesurer à lui. Pour avoir de l'espoir il faut croire très fort en la vie, il faut avoir une sorte de foi. L'espoir c'est la lutte, c'est un combat. Je le sens vibrer en moi, je le sens grandir au creux de mon âme. Mon Dieu, faites que toujours je le sente ainsi, faites que je ne perde jamais la foi!

* * *

— Madame Moineau, nous avons fait du bon travail ensemble.

Le docteur Thibault est assis dans sa chaise tournante et il me montre les dernières radiographies que l'on a prises de moi. Je l'écoute sans perdre un seul mot de ce qu'il dit. Mon cœur bat à un rythme

66

affolant. Je n'en peux plus d'attendre. Je sens mes mains trembler. Quelle sera sa conclusion? Pourquoi prend-il tout ce temps avant d'arriver au fait? Veut-il me faire une surprise ou essaie-t-il de me ménager?

— Comme vous le voyez la situation s'améliore beaucoup et j'en suis fort heureux. Cependant, madame Moineau, tout n'est pas fini. Si vous regardez attentivement de ce côté-ci vous verrez tout comme moi que des nodules résistent encore.

Une pierre vient de s'effondrer sur moi. Je m'affaisse au creux de ma chaise et je ne bouge plus. Je ferme les yeux. Une grande colère m'agite soudain. Je serre très fort les bras du fauteuil sur lesquels je m'appuie, je voudrais les briser, les fracasser, les tordre. J'en ai assez. Que l'on meure tous s'il le faut, mais que la torture cesse!

— Vous vous attendiez à mieux, n'est-ce pas?

J'ouvre les yeux et les fixe durement sur ceux du médecin.

— Si l'on ne guérit jamais de cette maladie, pourquoi ne le dit-on pas tout de suite? Pourquoi, docteur Thibault, vous amusez-vous à nous parler d'espoir? Quelle sorte d'illusion essayez-vous de créer? Je ne veux plus croire, m'entendez-vous, je refuse dorénavant de jouer l'innocente, de faire comme la sainte qui proclame bien haut que le Christ lui est apparu alors que personne ne l'a vu! C'est fini, je ne vous demande plus rien.

— C'est votre droit le plus strict que de refuser de croire, madame Moineau. Personne ne pourra vous en empêcher. Faites comme bon vous semblera. C'est votre vie, pas la mienne. Moi j'ai choisi de croire, mais rien ne vous oblige à suivre mon exemple.

C'est la première fois que j'entends le docteur Thibault me parler sur un ton semblable. Ses traits se sont durcis, sa voix a résonné dans la pièce comme le bruit d'un tambour. Je suis à la fois fâchée et honteuse. Je dois essayer de retrouver mon calme. Je ne suis plus une enfant, je ne dois pas avoir peur des mots.

— Je pense que vous avez bien fait, docteur Thibault, de croire, et je vous admire pour tout ce que vous accomplissez. Mais avouez que la lutte est ingrate, que les ennemis sont armés de façon bien inégale. Vous savez, lorsque l'on était petit, c'était facile de croire que le Christ avait réssuscité Lazarre, mais à mesure que l'on grandit les miracles et les contes de fées finissent par se ressembler. Les princesses n'ont qu'à s'endormir et tout le monde sait que le prince viendra les éveiller. Mais nous?

— Nous? Nous ne vivons pas dans les légendes. Si vous vous endormez, Thérèse, personne ne viendra vous éveiller. Je n'ai rien d'un prince charmant et je n'ai aucun pouvoir surnaturel, c'est pour cela que je veille et que je ne veux laisser personne s'endormir car, si un jour vous fermez les yeux, je sais très bien que je ne pourrai plus les faire s'ouvrir. Je ne suis qu'un homme, je le sais, mais j'irai jusqu'au bout de ce que je suis. Je ne vous ai jamais promis de miracle, et jamais vous n'entendrez de telles balivernes sortir de ma bouche. Je vous ai simplement demandé de m'accorder votre confiance et de vous aimer assez vous-même pour trouver la force de vivre. Je crois que tous les patients rêvent de se voir un jour libérer de leur fardeau et je les comprends. Moi aussi je rêve parfois que je marche comme tout le monde sur mes deux jambes. Mais je ne rêve

jamais trop longtemps, l'illusion est mauvaise conseil-
lère. Je ne vous ai jamais caché votre état. Je vous ai
expliqué ce qu'était un *hodking* et vous ai mis au
courant des traitements mis à votre disposition. Chaque semaine je vous ai rencontrée et, ensemble, nous
avons regardé les résultats. Votre état s'est beaucoup
amélioré, cela est exact. Vous avez pensé que je vous
dirais aujourd'hui de partir, que vous étiez guérie.
Je ne vous cache rien, Thérèse, vous n'êtes pas guérie,
même si vous êtes beaucoup mieux, beaucoup plus
forte. Nous allons devoir poursuivre les traitements.
Par contre, nous pouvons peut-être prendre des
vacances. Cela vous plaîrait-il?

— Des vacances, docteur Thibault? Que voulez-
vous dire?

— Bientôt ce sera Noël et le Nouvel An. Si vous
voulez passer les fêtes chez vous, avec votre famille,
eh bien, vous êtes libre de partir ce soir si vous le
désirez.

— Docteur, merci. Merci beaucoup!

Mes yeux se remplissent de larmes et je ne sais
plus que faire, je suis tellement excitée.

— Mais je veux vous revoir ici le 4 janvier, ne
l'oubliez pas.

— Non, docteur, je reviendrai, c'est promis.
Merci.

Je n'ai plus qu'une seule idée: monter jusqu'à
ma chambre et téléphoner à Jacques pour lui annoncer la grande nouvelle. Je quitte le bureau du docteur
Thibault avec empressement et je cours à travers les
corridors. Je me sens comme une écolière qui peut
enfin sortir du couvent. Adieu la discipline, fini
l'emprisonnement, je suis libre! Sur mon chemin je
rencontre Barbara. Elle marche dans le long corridor.

Elle a mis son manteau et ses bottes, sans doute s'apprête-t-elle à sortir. Elle me voit et s'étonne. Je lui saute au cou et lui donne deux grosses bises.

— Je suis libre, Barbara, je suis libre!

— Comment cela? Tu nous quittes pour toujours?

— Non, pas pour toujours.

Je me rends soudainement compte que ma joie était trop grande. Encore une fois je m'illusionnais. Je ne suis pas libre du tout, je bénéficie à peine d'un sursis.

— Non, Barbara, je vais revenir le 4 janvier, mais je peux rentrer chez moi dès ce soir. Je vais passer les fêtes avec ma famille.

— Ah! bon, je me disais aussi... Mais c'est une très bonne nouvelle, Thérèse. Tu es heureuse, n'est-ce pas?

— Oui, bien sûr.

Cependant je me sens toute triste. Je laisse bientôt Barbara et continue de marcher vers ma chambre. Mon pas a ralenti et ma joie est ternie. Jacques aussi va penser que je retourne à la maison pour toujours. Ces derniers temps, quand il venait me voir, nous étions si enthousiastes. J'étais convaincue que j'allais guérir, je me sentais de plus en plus forte, et lui, trouvait que j'étais vraiment beaucoup mieux. Tous les deux nous avons rêvé que je partirais d'ici et que tout serait comme avant. Nous avons même pensé faire un voyage cet été. Si je retournais à la boutique pour l'aider, nous pourrions diminuer le personnel et ainsi augmenter les profits. Esther serait heureuse elle aussi de retrouver sa mère. Mais voilà que je dois briser ce rêve. Voilà que c'est à mon tour de faire comme le docteur Thibault. Je dois empêcher que mon prince ne s'endorme. Cela me sera très difficile. J'espère que j'aurai assez de courage!

Je me retrouve une fois de plus dans ma petite chambre. Le soleil éclaire les murs bleus. Un peu de poussière traîne sur le bureau. A côté du lit, sur la table de chevet, se trouve le téléphone. Je m'assieds dans le fauteuil au cuir froid et je pense. Dirai-je tout de suite à Jacques qu'il s'agit d'un sursis? Serait-il préférable que j'attende à ce soir lorsque nous serons seuls tous les deux et qu'Esther sera endormie? Je n'en sais rien. Sans doute vaut-il mieux que je l'avertisse maintenant qu'il doit venir me chercher, et puis après je verrai si je dois lui dire ou non. Je prends le récepteur et compose le numéro.

* * *

L'auto roule dans le noir. Jacques conduit en silence. Je suis assise près de lui mais je ne parle guère. Il est venu me prendre à dix-neuf heures. Au téléphone, cet après-midi, je lui ai simplement dit que nous passerions les fêtes ensemble. Il était heureux. Quand je l'ai vu entrer dans ma chambre son sourire était éclatant. Il m'a prise dans ses bras et m'a serrée très fort. J'étais si bien, j'étais trop bien. Quelques petites larmes sont venues se loger au coin de mes yeux. Lorsqu'il m'a regardée il les a vues. Sa figure s'est assombrie, mais il ne m'a pas posé de questions. Il a pris mes bagages et nous sommes descendus au stationnement. Nous avons pris place dans l'auto et il m'a invitée à souper dans un restaurant. Je n'en avais pas vraiment envie. J'ai prétexté un peu de fatigue et il n'a pas insisté. Nous avons parlé un

71

peu de tout et de rien, de cette neige qui bloquait les rues, du surcroît de travail que les fêtes occasionnent, des décorations de Noël que nous voyions partout sur notre chemin. Il a fini par me demander si je voulais arrêter un peu chez ma mère avant d'aller chez nous. J'acceptai. Nous approchâmes bientôt de la grande maison de pierres que je connaissais si bien. J'étais un peu anxieuse sans savoir au juste pourquoi. Il y avait si longtemps que je n'avais vu ma famille.

Ma mère est venue nous ouvrir la porte de son pas ferme. Même si elle n'est pas très grande, cette femme est toutefois imposante par sa droiture et son assurance. J'ai reconnu son petit tablier fleuri, sa veste de laine grise et aussi son sourire de même que l'éclat de ses yeux toujours très vifs. J'étais contente de pouvoir l'embrasser, de sentir à nouveau sa chaleur. Elle nous emmena, bien sûr, à la cuisine où elle nous servit du café et des gâteaux. Elle me posa plusieurs questions sur mon séjour à l'hôpital et sur les traitements que j'avais reçus. Finalement, avec son intuition habituelle, elle finit par me demander quand je devais retourner à Carlton-Auger. « Le 4 janvier, lui répondis-je sans hésiter. Je dois subir une autre série de traitements. »

Jacques demeura silencieux mais je ne pus m'empêcher de voir son affaissement. Sa tristesse me fit mal, mais je ne pouvais rien y faire. Lorsque nous sommes repartis et que nous nous sommes retrouvés à nouveau dans l'auto, le même silence s'établit entre nous. Il avait dû se douter qu'il y aurait des suites à mon hospitalisation, mais il pensait peut-être que je pouvais être soignée en clinique externe. La vie est difficile, à la fois pour lui et pour moi. Je souffre d'être éloignée des membres de ma famille, et quant à eux ils doivent organiser leur vie différemment. Jacques a sans doute l'impression de ne plus avoir de foyer et il s'inquiète sûrement beaucoup pour notre avenir. J'aimerais tellement pouvoir le consoler, mais je ne peux rien faire.

Nous approchons, je crois, de la maison. Je reconnais la petite route et aussi les arbres. Bientôt je distingue des lumières. « Nous y sommes enfin », dis-je à Jacques. Il prend ma main et me fait signe que oui. Son sourire est chaud comme une caresse. Il vient m'aider à descendre de l'auto. Dès que je mets le pied dehors j'aperçois Esther à la fenêtre qui fait de grands signes avec ses bras. Je n'attends plus, je vais vite jusqu'à la porte qu'Anne-Marie ouvre dès que j'en approche. Me voilà enfin chez moi!

Esther me saute au cou. « Maman, maman », crie-t-elle. Et je la prends dans mes bras et la serre très très fort tout contre moi. J'enfonce mes lèvres dans sa petite joue ronde toute potelée et je retrouve son odeur de fillette, la douceur de sa peau, la tendresse de ses bras d'enfant.

— Ma petite chérie, comme il y a longtemps que je t'ai vue! Tu vas bien, dis-moi?

— Oui, maman, oui.

Et voilà qu'elle me quitte pour aller retrouver son père. Anne-Marie s'avance vers moi et me tend la main. Son sourire est très doux.

— Bonjour, madame Moineau. Je suis Anne-Marie. Je suis bien contente de vous voir.

— Moi aussi, Anne-Marie, moi aussi. Tout va bien à la maison?

— Oui, enfin je le crois. Je fais de mon mieux.

— Oui, je le sais, d'ailleurs je vous suis très reconnaissante. Je n'ai entendu que des louanges à votre égard. Je vous remercie beaucoup de tout ce que vous faites.

— Oh! je vous en prie. Votre fille est adorable, vous savez. Mais ne restez pas là. Venez accrocher votre manteau.

Et j'avance dans la maison, dans ma maison. J'ai l'étrange impression que tout ce que je vois est nouveau et pourtant je pourrais dire les yeux fermés où se trouve chaque objet. C'est un peu comme si je redécouvrais cet espace. Les gens qui ont quitté leur pays depuis longtemps et qui y reviennent doivent avoir un peu la même sensation. Tout est beau, tout est grand, tout est chaud. Bien que le décor soit réel, il apparaît néanmoins comme dans un rêve. Les couleurs, les tissus, les odeurs ont un goût particulier. Les images qu'en souvenir je fabriquais se surimpriment en quelque sorte sur les objets et leur donnent une allure presque magique. Je suis enveloppée d'une grande émotion, je n'ose toucher à rien, je voudrais que tout reste ainsi jusqu'à la fin des temps. Je n'entends aucun bruit derrière moi; je me retourne et je vois ma petite famille qui me regarde presque religieusement. « Je vous aime, leur dis-je, je vous aime », et je leur tends les bras. Jacques me rejoint et me serre très fort à nouveau en m'embrassant. Je pleure, mais ces larmes déposent sur mes lèvres un goût que je ne veux plus devoir oublier: c'est celui du bonheur.

IV

Jacques et moi sommes assis au salon. Esther est couchée depuis quelques heures déjà et Anne-Marie s'affaire à la cuisine. Jacques semble un peu fatigué, il s'est allongé sur le sofa et il regarde une émission télévisée. Nous avons beaucoup parlé au souper et puis après nous avons longuement joué avec la petite. Chère Esther, elle est un peu jalouse, je crois. Elle a passé tant de mois seule avec son père qu'elle ne veut plus maintenant le partager. Je dois avouer que je suis un peu inquiète et même attristée par quelques-unes de ses réactions. Quand son père est rentré ce soir, elle l'a accaparé. Elle ne l'a pas quitté d'une semelle. Elle voulait qu'il la tienne continuellement dans ses bras. Si je m'approchais de Jacques, si je le touchais, elle me repoussait. Puis, lorsque nous mangions, elle m'a demandé tout à coup si j'allais repartir bientôt. « Peut-être un peu plus tard mais pas pour très longtemps », lui répondis-je. Alors elle eut l'air très fâché et elle me dit soudain en me pointant du doigt: « Lundi, tu repars! » Je fus blessée par ces paroles. Je ne savais pas ce que je devais lui répondre. Jacques s'est mis à lui parler d'autre chose et nous avons achevé notre repas sans qu'il y ait d'autre attaque. Anne-Marie m'a aidée à desservir la table mais n'a pas voulu que je touche à la vaisselle. « C'est votre première journée à la maison, allez plutôt rejoindre votre mari et votre fille », insista-t-elle. J'acceptai de bon gré car je me sentais aussi très fatiguée. Il y avait longtemps que j'avais passé une journée complète auprès d'une enfant de quatre ans. Je me rendis donc au salon et j'allai m'asseoir près de Jacques que j'embrassai tout doucement. Quand Esther nous vit elle cria: « C'est ça! Aimez-vous tous les deux, seuls. » Sur le coup je me sentis devenir très mal à l'aise, mais Jacques me prit par le bras et se leva. Alors je compris. Nous courûmes vers Esther et nous l'avons embrassée bien fort tous les deux, en « sandwich », comme elle le dit. Elle se mit à rire et voulut que nous jouions avec elle et c'est ainsi que se passa le reste de la soirée jusqu'à ce qu'Anne-Marie vienne chercher la petite pour la mettre au lit. Elle lui donna son bain et lui raconta, comme d'habitude, les deux histoires que la petite, chaque soir, réclamait, mais j'insistai pour aller border Esther avant qu'elle ne s'endorme. Quand je me suis penchée au-dessus d'elle pour la baiser sur le front, sa petite main a caressé ma joue. J'étais contente. Je la quittai sur la pointe des pieds alors que sa tête se cachait dans l'oreiller. Je rejoignis Jacques au salon. Allongé sur le divan, il semblait fatigué. Ses paupières étaient lourdes, alors je le laissai tranquille.

Je pense qu'il dort en ce moment. La journée a

été dure pour lui à la boutique. Pour moi aussi la journée fut difficile. J'ai essayé de m'occuper un peu des travaux domestiques mais je devenais vite épuisée. Et puis, pour dire vrai, je ne me sens pas du tout à l'aise dans ma maison. C'est terrible d'éprouver cette sensation, mais je me rends bien compte que je ne peux l'éviter. Anne-Marie vit ici depuis bientôt trois mois. Elle s'occupe de tout à merveille et Esther l'aime énormément. Lorsque j'essaie de me rendre utile, Anne-Marie vient tout de suite à la rescousse. Elle travaille beaucoup plus rapidement que je ne suis en mesure de le faire, aussi, chaque fois, je me retrouve assise dans un fauteuil à la regarder. Je suis comme une étrangère dans ma maison, l'on me traite comme si j'étais ici en visite. Je me sens parfois désespérée. Cet après-midi j'ai même eu un moment de colère. J'aurais voulu dire à Anne-Marie de partir, ou bien encore j'aurais eu envie de mettre mon manteau et de déguerpir. Cependant je gardai silence. Je me suis dirigée vers ma chambre et sans trop savoir pourquoi, j'ai ouvert la porte de la garde-robe et j'ai tout replacé les vêtements qui s'y trouvaient. Après, je me suis étendue sur le lit et j'ai essayé de me calmer. Je ne voulais pas me laisser aller à pleurer. Si je deviens dépressive et triste il sera encore plus difficile de reconquérir mon foyer et ma famille. Je me suis efforcée au contraire de me rappeler les heureux moments de mon retour. La joie d'Esther et la tendresse de Jacques. Comme cela fut bon de mettre les pieds dans ma vraie chambre à moi, cette chambre qui nous abrite Jacques et moi depuis le début de notre mariage. J'étais tout émue de pénétrer dans cette enceinte aux couleurs de rose. Instinctivement, je me suis dirigée vers mon bureau et j'ai ouvert les tiroirs. Je touchai à toutes ces choses qui m'appartenaient et dont j'avais presque oublié l'existence. Des chemisiers, des chandails de laine et des bijoux aussi dont je ne me souvenais plus. Tout me paraissait précieux. Je défis ma valise et Jacques m'aida. Nous ne parlions pas beaucoup mais un grand sourire ornait nos figures. Lorsque enfin je m'allongeai dans notre lit, je me sentis vraiment heureuse. « Comme il y a longtemps que je rêve de ce moment-là, Jacques, lui dis-je. Si tu savais comme je peux être seule quelquefois. » Il prit ma main tendrement et je me réfugiai contre son épaule. Je retrouvais sa chaleur, sa douceur d'homme et je ne désirais plus qu'une chose: rester auprès de lui pour toujours.

Lorsque au matin je me réveillai, Jacques n'était déjà plus auprès de moi. Je me demandais bien pourquoi il s'était levé si tôt. Mais voilà que je le vis apparaître dans le cadre de la porte tenant un plateau entre ses mains. « Madame est servie », m'annonça-t-il fièrement. Je me mis à rire. Il m'apportait mon petit déjeuner au lit. Nous le prîmes ensemble, l'un près de l'autre, en jasant de tout et de rien. Le soleil avait envahi notre chambre et je me sentais bien, calme, un peu comme si j'eusse été réconciliée avec la vie. Je garderai toujours en tête ce moment de bonheur. Lorsque je le repasse en mémoire, il m'apaise.

Oui, je crois bien qu'il s'est endormi sur le divan. Je m'approche de lui tranquillement. Je passe douce-ment ma main dans ses cheveux. Il sait sûrement à quel point je l'aime, il sait sûrement que si je me débats si fort contre la maladie c'est beaucoup à cause de lui et de notre fille. Voilà qu'il ouvre les yeux.

— Ce serait peut-être mieux d'aller dormir dans notre chambre, n'est-ce pas?

Et il me fait signe que oui. Nous nous y rendons.

* * *

Anne-Marie nous a quittés ce matin. Esther a eu beaucoup de peine. Elle a pleuré longtemps. Mais voilà plus de deux semaines que je suis à la maison et je me sens beaucoup plus forte. Je me suis efforcée à chaque jour de faire un peu plus de travail. J'ai préparé les repas, j'ai nettoyé la maison tandis qu'Anne-Marie s'occupait de la petite. Je voulais à tout prix reprendre mon rôle au sein de mon foyer. Ce fut difficile au début, mais à présent je sais que je pourrai y arriver seule. Pendant un certain temps j'ai cru qu'Esther allait vraiment me glisser entre les doigts. L'on aurait dit que je ne comptais plus pour elle. Anne-Marie était sa compagne de jeu préférée et lorsque ma petite désirait recevoir un peu d'affection, elle courait se réfugier contre la jeune fille. J'ai eu très mal quelquefois en la voyant agir ainsi. J'en ai parlé avec Jacques, un soir que nous étions seuls tous les deux. Il m'a conseillé d'attendre un peu avant de m'affoler. Sans doute fallait-il donner à Esther le temps de s'adapter à ma présence, elle finirait sûrement par comprendre et par revenir auprès de moi comme avant. Je fis donc ce qu'il m'avait dit: j'attendis. Mais je ne restai point passive. Même lorsque j'étais lasse, je restais debout, refusant de me réfugier dans ma chambre. Je pris l'habitude de réciter un conte à Esther chaque après-midi.

Elle venait s'asseoir sur moi et je la berçais. Un jour elle vint d'elle-même me chercher pour que je lui raconte à nouveau l'histoire du petit chaperon rouge. Sa demande me rendait folle de joie, j'avais marqué un bon point: Esther avait besoin de ma présence. Tranquillement je réussis à me faire valoir à ses yeux, elle cherchait ma compagnie de plus en plus souvent et elle ne parlait plus de mon départ. Un soir, alors que je la bordais, elle me prit par le cou et me dit: « Tu es ma maman et je t'aime. » Ce fut pour moi le plus beau cadeau du monde. J'étais transportée de bonheur. Le lendemain je me sentis extraordinairement énergique, enthousiaste. Je travaillai gaiement et à mon rythme. J'étais enfin à l'aise chez moi, je redevenais peu à peu la maîtresse de ma maison. Ce sentiment me redonna confiance en moi et je décidai de reprendre véritablement ma place. J'attendis encore quelques jours avant de donner congé à Anne-Marie, mais hier je sentis que je pouvais venir à bout de ma besogne toute seule. J'en discutai avec la jeune fille qui me comprit très bien. Elle reviendra au début du mois de janvier lorsque je repartirai. Dans ses yeux je vis qu'elle était triste de quitter notre maison. Elle s'est beaucoup attachée à Esther. Toutefois elle avait hâte de retrouver sa propre famille. Anne-Marie et moi sommes nées dans la même paroisse. Nous avons plusieurs connaissances en commun et aussi plusieurs souvenirs. Au cours des jours que nous avons passés ensemble nous avons appris à nous connaître. L'amitié a secrètement tissé ses liens. Je sais à présent que je peux avoir confiance en Anne-Marie et toute l'amertume que j'ai pu ressentir lors de mon retour est enfin disparue. L'être humain est un animal bien sensible, bien susceptible. Esther craignait que je lui vole son père; moi je croyais que l'on m'avait pris ma fille et que l'on m'avait remplacée dans mon propre foyer.

Esther est assise devant le sapin de Noël. Ses cheveux blonds descendent le long de son dos et suivent les mouvements de sa petite tête agitée. Elle est en train, je crois, de faire la leçon au bœuf et à l'âne qui encerclent le berceau du petit Jésus qui ne descendra du ciel que demain, à minuit. Son doigt s'élève sévèrement au-dessus des deux bêtes innocentes qui ont pourtant droit à un sermon en bonne et due forme. L'enfance me fascine. Je suis Esther tout au long de la journée et j'ai bien souvent l'impression de participer à une merveilleuse aventure. Le temps qui nous a séparées, ma fille et moi, a transformé mon regard. Vivant toujours auparavant auprès de ma petite, je m'étais habituée à ses jeux, à ses mots, et je ne m'en préoccupais qu'à l'occasion. Depuis mon retour je suis amenée à redécouvrir le monde d'Esther. Il a même fallu que je trouve le moyen d'y pénétrer un peu afin que mon enfant m'accepte à nouveau. Dans cet effort je fus confrontée à un univers dont les lois et les espaces me parurent étrangers. Animé d'une imagination farouche et intarissable, vivant au rythme des sentiments les plus purs et les plus passionnés, mon guide blond m'emmena par des chemins dont j'avais depuis longtemps oublié les détours. Je n'eus d'autre choix que celui de faire confiance à la petite fée intrépide qui au loin m'appelait sans pour autant se soucier des obstacles qu'à chaque pas je rencontrais. Cependant, du fond de ma mémoire surgissaient des paysages, des voix, des mots, des couleurs que je croyais à tout jamais disparus. Je fus surprise de rencontrer dans un recoin de ce dédale une autre petite fille blonde qui dormait, semblait-il, depuis fort longtemps. Je la regardai longuement, avec curiosité d'abord, puis avec envie. Je souhaitais qu'elle puisse ouvrir les yeux, qu'elle puisse chuchoter à mon oreille quelques mots afin que je reconnaisse sa voix et que je redécouvre ses rêves. Je pris le risque d'attendre. J'allais poursuivre ma route lorsque, soudain, quelque chose secoua violemment et mon âme et mon cœur. Je crus que j'allais perdre pied. Les fondements mêmes de mon être se trouvèrent ébranlés. Dans ma tête d'adulte retentit une voix claire et vive qui perça jusqu'à ma chair. Thérèse enfant, Thérèse la petite s'était mise à revivre et son souffle alimenta le mien. Ce fut un coup de vent fantastique qui balaya sans pitié la poussière des ans et découvrit dans toute sa nudité la fébrile charpente que j'avais mis tant de temps à bâtir. Comment avais-je réussi à oublier tout ce passé? Comment avais-je pu m'éloigner si vite de l'enfant que j'étais? Je retrouvai Thérèse en cherchant Esther, et toutes les deux firent ensemble un long chemin jusqu'à ce que fatiguées, elles se reposent enfin, paisibles, insouciantes, fortes de la vie qui coulait en elles comme une eau pure jaillissant de sa source.

Esther vient de s'apercevoir de ma présence. Elle se retourne et rit, un peu gênée sans doute du fait que je l'ai surprise pendant sa conversation secrète. « Est-ce que tu as hâte à demain? » lui demandai-je. « Oh oui! » me répond-elle avec des yeux tout brillants. « Crois-tu que le père Noël va m'apporter tout ce que je lui ai demandé? » s'enquiert-elle. « Eh bien, souhaitons qu'il ait beaucoup de place dans son sac. Mais je pense bien que pour une belle petite fille comme toi il apportera tout ce qu'il peut, même si c'est très lourd. » Ma réponse semble la satisfaire puisqu'elle se remet à jouer avec insouciance. Bientôt cependant elle court vers la porte: l'auto de Jacques approche de la maison. Dès qu'il entre, elle lui saute au cou. Je vais vers lui moi aussi et l'accueille. Je suis fière d'avoir pu, pour la première fois, passer la journée seule sans l'aide de personne. Je me suis occupée de la maison et j'ai préparé un bon repas. Bientôt je serai en mesure d'aller à la boutique avec Jacques afin de lui donner un coup de main. J'éprouve une grande satisfaction et je crois de plus en plus en la vie et en mon bonheur.

* * *

L'église est toute colorée. De longs rubans rouges et jaunes parcourent ses murs, des bouquets de fleurs ornent l'autel, les gens ont mis leurs plus beaux habits. Partout l'on voit apparaître des sourires. Les enfants ne se gênent pas pour s'étonner, rire ou pleurer. En fait la cérémonie se déroule joyeusement, à la manière d'une fête. Une sorte de fièvre emplit l'espace et donne un air de jeunesse à cet édifice habituellement sévère et gris. Esther est assise bien tranquillement à côté de moi. Elle tourne parfois la tête vers l'arrière pour regarder l'orgue et les chanteurs debout dans le jubé. Jacques suit la messe docilement.

Cette année nous passerons Noël ensemble tous les trois. J'ai reçu plusieurs invitations de la part de ma famille mais je me sens jalouse de mon intimité. Et puis j'ai un peu peur du regard des autres, de leurs questions, de leurs commentaires. Bien sûr, je les aime et je leur suis grandement reconnaissante de l'aide qu'ils m'ont accordée. Leurs fréquentes visites à l'hôpital, leurs nombreux témoignages d'affection m'ont été extrêmement précieux. Mais je ne me sens pas capable de les affronter tous à la fois, car même s'ils ne le faisaient pas avec de mauvaises intentions, ils voudraient s'informer de mon état, savoir où j'en suis exactement et aussi ce qui m'attend dans l'avenir et je ne veux pas répondre à ces questions, je n'ai pas non plus envie d'en parler. Ma réaction peut sûrement être qualifiée d'égoïste, mais je m'accorde le droit de l'être. J'espère que mes parents et mes amis sauront comprendre mon désir de réclusion. Je ne peux pas leur expliquer la diversité des sentiments qui m'animent. Je ne trouve pas toujours les mots exacts, et puis je préfère garder les gens que j'aime à l'abri de mes inquiétudes et de mes peines.

Jacques me pousse délicatement avec son bras. C'est le moment de la communion. Pauvre Jacques, il doit trouver que je suis plutôt lunatique ces temps-ci! Sa gentillesse, sa générosité sont remarquables. Mes moindres désirs deviennent des ordres. Vraiment il me gâte. Il me semble que chaque jour je le redécouvre. Il s'avance vers la balustrade tandis qu'Esther appuie sa tête contre moi. Ses paupières sont lourdes. Elle s'endort. J'ai hâte de rentrer à la maison et de la voir déballer ses cadeaux. Noël est un moment précieux; chacun retrouve à sa façon un peu du merveilleux de son enfance. Depuis qu'Esther est avec nous, le temps des fêtes a pris une nouvelle allure. L'enfance communique aux adultes sa spontanéité et sa capacité d'émerveillement. Ce soir je me sens très heureuse. Mon Dieu, merci pour le temps que vous me donnez, merci pour le courage que vous m'avez permis de trouver, merci pour cette vie que je défendrai jusqu'au bout. J'ai cru pendant un certain temps que je ne verrais pas le seuil de cette nouvelle année. J'étais faible et abattue. Mais voilà que je suis avec les miens et que je crois à nouveau en la vie. Faites que je garde toujours l'espoir et surtout que je ne faiblisse pas au cours du combat que j'ai à mener. Pour Jacques et pour Esther, je jure de tout faire pour continuer de vivre.

* * *

Voilà que les vacances déjà s'achèvent. Anne-Marie est revenue ce soir à la maison. J'ai préparé ma valise et j'ai fait le ménage pour la dernière fois dans ma demeure. Demain matin je retourne à Carlton-Auger.

Finie la liberté, finie l'illusion. Je vais endosser une fois de plus mon corps malade et retrouver ma prison déguisée. C'est ma dernière nuit auprès de mon mari et de ma fille, ma dernière nuit de bonheur. Quand retrouverai-je la chaleur de mon foyer? Le reverrai-je même un jour? Je sais bien que je ne devrais pas me laisser aller à entrevoir des horizons aussi noirs, mais c'est plus fort que moi. Toute la journée j'ai retenu ma peine et j'ai fait comme si de rien n'était. Je ne voulais pas que Jacques s'aperçoive de ma tristesse et je ne voulais pas non plus que le petit cœur d'Esther soit bouleversé. L'enfance est si fragile. Cependant je suis seule en ce moment dans ma chambre. Jacques a dû retourner au magasin pour terminer certains travaux urgents. Il va arriver d'un moment à l'autre. Je souhaite pouvoir jouer le jeu jusqu'au bout. Lorsqu'il pensera à moi durant mon absence, je veux qu'il le fasse sereinement. Je désire qu'il conserve de moi une image heureuse et belle. Qu'il se souvienne toujours d'une Thérèse gaie, d'une Thérèse forte. Même si mon cœur se tord de douleurs, même si mon âme crie de rage et de peine, je ne dois rien laisser paraître. Il faut que j'aie la force de retenir mon angoisse et ma tristesse. Jacques me verra retourner à l'hôpital gagnante. Il ne doutera pas que j'en ressortirai victorieuse. Il me croira lorsque je lui dirai que cette série de traitements sera de courte durée et que, très bientôt, je serai à la maison pour de bon comme auparavant. Mon assurance fera taire son appréhension. J'entends la porte qui s'ouvre derrière moi: c'est Jacques qui revient.

DEUXIÈME PARTIE

La lutte

V

Je pénètre au sein d'une nuit dont j'ignore quelle sera l'issue. La noirceur que mes yeux cherchent à percer ressemble à une tapisserie sur laquelle un artiste anonyme aurait dessiné les motifs de ma vie. Est-ce que la lutte que je mène avec acharnement depuis trois ans pourrait glisser vers l'échec avec autant de facilité? Oui, il y a même un peu plus de trois ans maintenant que je combats contre la maladie. Nous sommes en novembre 1976 et j'arrive aux confins d'une route tortueuse. Le long chemin sur lequel je me suis engagée en août 1973 a épuisé aussi bien mon corps que mon âme. Il m'a fallu déployer tellement de force et d'énergie pour tenir tête à l'ennemi que ce soir je suis tentée de fermer les yeux et de me reposer. Pourtant, cette halte me serait fatale, je le sais. Pour la septième fois je me retrouve à l'hôpital. Je me souviens très bien de ce matin de janvier 1974 où je suis retournée à Carlton-Auger pour une deuxième série de traitements. Je pensais que peut-être j'allais en ressortir complètement guérie, quelle utopie! J'étais forte alors car l'espoir me soutenait. J'étais prête à affronter n'importe quel obstacle, j'avais la certitude de vaincre. La vie m'a appris que les batailles se gagnent au prix du sang et qu'il est bien vain de croire trop rapidement à la victoire. On ne surestime jamais assez son ennemi. Il possède toutes les ruses dans son jeu. Il vous laisse parfois le temps de récupérer vos forces, mais s'il le fait, c'est pour vous frapper plus durement à la prochaine occasion, et il ne manque pas ses chances de vous accabler. Cette fois-ci mon ennemi a visé juste. Mon corps usé offre de moins en moins de résistance. Les instants qui passent m'épuisent irrémédiablement et les munitions sont devenues introuvables. Aujourd'hui l'on m'a déclaré que ma maladie avait atteint sa phase terminale. Tous les soins disponibles m'ont déjà été prodigués; il faut soit abandonner la partie, soit risquer l'impossible. Chose certaine, je suis acculée au pied du mur et j'ai atteint le moment crucial du combat. Si par mégarde je me laisse aller à une seconde de faiblesse, je suis finie. Il me reste toutefois encore une chance. Elle est bien mince, certes, mais c'est une chance tout de même. D'un côté il est possible de prolonger mes jours pendant quelques temps encore grâce à des traitements de chimie. Je sais par expérience quel cauchemar serait alors ma vie car je réagis très mal à ce genre de cure. Par contre, je peux également choisir de jouer le tout pour le tout. Un radiothérapeute m'a proposé de subir un traitement qui en est encore à sa phase expérimentale. Il s'agit du «total body» ou de l'irradiation totale du corps, un traitement qui n'a jamais encore été donné à personne, du moins dans le but de soigner la maladie dont je suis atteinte. Les risques sont gros: la moelle peut s'en trouver détruite et la glande tyroïde brûlée. Il est aussi fort probable que je sorte de cette expérience extrêmement affaiblie. J'ai une nuit pour réfléchir. Demain matin je dois leur révéler ma décision. Je suis donc face à trois choix, le troisième étant d'abandonner la lutte. Les heures qui suivent décideront de mon sort.

Inutile de vouloir trouver le sommeil car cette nuit en est une de veille. Depuis que les lumières se sont éteintes sur l'étage, ma tête n'a plus trouvé de repos. C'est toute ma vie que ma mémoire me donne à regarder et je ne peux détacher mon esprit de ce fantastique pèlerinage. Je revois, étape par étape, le chemin de ma lutte et je me demande s'il vaut la peine que je continue de marcher. J'ai connu tant et tant de souffrances que ma vie a fini par s'imprégner d'un goût amer que je ne peux plus camoufler. Me débarrasserai-je jamais de la nausée qu'elle m'inspire? Tous mes souvenirs réapparaissent avec une clarté étonnante. Trouverai-je dans ce défilé la réponse que je cherche?

Je me rappelle mon second séjour à Carlton-Auger comme si je m'y trouvais encore. J'y suis demeurée un mois et demi. Le temps passait vite toutefois car les vacances que j'avais prises à la maison m'avaient rendue plus forte, plus autonome. Je n'eus pas cette fois-là de problème d'adaptation puisque je connaissais très bien tous les règlements de l'endroit. Cet élément joua grandement en ma faveur. Il me permit de bénéficier davantage de la liberté qui était mise à ma disposition et il me donna également l'occasion de me rendre utile. Je fis la rencontre de

clients récemment arrivés à l'Hôtellerie et je les aidai
à s'habituer à vivre dans ce nouveau milieu. Je parti-
cipai à presque toutes les activités; très souvent
l'après-midi je sortais, soit pour aller au cinéma, soit
pour faire le tour des magasins. Je continuais de rencontrer le docteur Thibault qui se réjouissait de voir
mon état de santé s'améliorer. Ce second séjour à
Carlton-Auger fut donc plus agréable que le premier,
et j'y retrouvai Barbara qui souvent m'accompagnait
lors de mes sorties. Je devais toutefois exercer une
certaine pression pour qu'elle acceptât de me suivre
car, plus souvent qu'autrement, elle était déprimée.
Son espoir de guérison était devenu bien fragile.
J'essayais de l'encourager et de la convaincre de la
nécessité de la lutte. Parfois j'y réussissais et cela
m'apportait une grande satisfaction. Je découvris
combien il pouvait être fructifiant pour soi-même de
soutenir les autres. Ces efforts entretenaient ma foi
en la vie. L'atmosphère qui régnait au pavillon me
semblait plus saine que lors de mon premier séjour.
Je me souviens d'un soir où nous avions organisé une
fête. Un groupe de danseurs avait été invité à donner
un spectacle à l'Hôtellerie. Les malades tapaient du
pied, battaient des mains, en suivant le rythme de la
musique. De la salle où nous étions tous réunis,
s'échappaient des voix rieuses et gaies. Une dame qui
venait pour la première fois visiter un des clients
s'était alors approchée de moi pour me demander où
l'on gardait les cancéreux. Cette question me surprit
beaucoup, je n'en comprenais pas la motivation.
Lorsque je lui dis qu'il s'agissait de nous, elle sembla
étonnée. Sans doute s'imaginait-elle que les cancéreux étaient de véritables loques. Sa remarque m'avait
quelque peu blessée, mais j'étais heureuse de lui mon-

trer que nous n'étions pas des monstres. Tant d'histoires horribles sur le cancer ont fait leur chemin au sein de l'imagination populaire. Quelquefois j'ai eu l'impression que l'on me regardait comme si j'étais une lépreuse. Je devenais à la fois mal à l'aise et révoltée, mais toujours je me suis efforcée de donner tort à ces rumeurs.

Lorsque, au début du mois de mars, le docteur Thibault m'a fait venir dans son bureau pour m'annoncer que je pouvais retourner vivre chez moi avec ma famille, je crus que j'étais sauvée. Ma vie allait enfin redevenir normale. Jacques était fou de joie. Il vint me chercher avec empressement et le bonheur qui nous animait était si intense que nous ne cessions de sourire. C'est avec beaucoup d'ardeur que je repris ma vie en mains. Je m'occupai à la fois de notre maison et de notre commerce. Je jouissais d'une énergie nouvelle. J'embrassais la vie avec passion. Je me présentais encore à l'hôpital afin de recevoir certains traitements mais tout allait pour le mieux. Bien sûr, mon corps n'était plus le même, j'étais moins forte qu'auparavant et je me fatiguais plus rapidement. Mais j'appris à connaître mes limites et, en autant que je les respectais, je n'avais aucun problème. Je redevins aux yeux des autres la Thérèse qu'ils avaient toujours connue et cette reconnaissance m'aida grandement. Le regard des gens qui m'entouraient me rassurait et m'encourageait. Le printemps cette année-là fut magnifique. Je ne me lassais pas d'aller au-devant du soleil. J'emmenais très souvent Esther en promenade et l'air que je respirais avait un goût unique. J'étais heureuse, et c'est à corps perdu que je m'abandonnais à ce bonheur. Rien ne pouvait plus le détruire. Peu de temps avant Pâques, Jacques et

moi décidâmes d'aller visiter des amis qui demeu-
raient sur la Côte de Beaupré. Nous partîmes donc
avec Esther qui n'avait encore jamais vu cette région.
Le voyage se déroula sans problème. Nos amis nous
accueillirent chaleureusement. La campagne brillait
de ses plus belles couleurs. Un après-midi, cependant, je ressentis quelques douleurs au niveau du
ventre. Je ne m'en préoccupai pas davantage jusqu'au
moment où, au cours d'une nuit, le mal se fit si grand
que je crus défaillir.

Une immense angoisse m'envahit. Tout mon être
se mit à trembler. Ma tête refusait de se rendre à
l'évidence. Allais-je revivre le cauchemar de l'année
précédente? J'attendis à la dernière limite pour ré-
veiller Jacques, mais à l'approche de l'aube, je dus
me résoudre à le mettre au courant: mon corps était
couvert de sueur et la torture ne semblait pas vouloir
cesser. J'étais à bout de force. J'appris, une fois
arrivée à l'hôpital, que je souffrais d'une pancréatite.
Heureusement, je me remis assez vite de cette épreuve. Après six jours de soins, le mal avait complètement disparu et je pus retourner à la maison. J'avais
craint une rechute beaucoup plus grave que celle-là,
aussi, après peu de temps, je retrouvai mon enthousiasme. Vraiment, avec le recul, je m'étonne de ma
résistance morale. Comment pouvais-je croire si fort
en la vie? Je me souviens de l'ardeur avec laquelle
j'attaquais chaque journée. Je ne me permettais
aucun moment de découragement et je m'occupais
sans arrêt. Je pense même avoir été plus active durant
cette période que n'importe quelle autre personne
bien portante. Toute allusion au cancer était formel-
lement interdite à la maison. Jamais je n'entendais
prononcer ce mot. Tous mes efforts visaient à recréer

un climat de vie normal pour ma famille. Si parfois l'angoisse tentait de se frayer un chemin au creux de ma tête, je la repoussais sans pitié et avec désinvolture. Je ne voulais plus revoir de jours sans soleil et surtout, je voulais éviter à tout prix d'accabler les êtres que j'aimais le plus. Je voilai donc mes yeux et mon cœur, et je piétinai mes inquiétudes sans aucune indulgence. La vie m'attira toutefois dans un de ses guet-apens et je ne manquai pas d'y tomber. C'était en mai, quelque temps à peine après m'être remise de ma pancréatite. Depuis longtemps je désirais visiter la Côte Nord. Je n'étais encore jamais allée ni à Tadoussac ni aux Escoumins et je rêvais de ces paysages dont j'avais si souvent entendu parler. Ma santé ne me causait alors aucun souci et Jacques avait acquiescé à ce projet. Il avait suggéré que je prenne l'avion afin d'effectuer ce voyage, mais, comme je voulais emmener Esther et que je désirais qu'elle puisse voir toutes les beautés de cette région, je décidai de m'y rendre en auto. L'allée se fit en huit heures et nous n'eûmes aucune difficulté, si ce n'est qu'Esther fut incommodée par les routes parfois trop sinueuses, ce qui lui causa de fréquentes nausées. Arrivées à destination, nous séjournâmes chez des amis, Marie et Brian, qui n'ont rien ménagé pour nous recevoir. La semaine s'écoula avec la vitesse de l'éclair. Cependant, alors que nous étions sur le chemin du retour, un accident se produisit. Ma petite somnolait à côté de moi et le temps était clair. Heureuse, je profitais de la beauté des lieux et je conduisais calmement. Soudain, un bruit violent me secoua. Je n'eus pas le temps de me rendre compte de ce qui se passait que déjà je perdais le contrôle de ma voiture. Je tentai de reprendre la bonne direction mais bientôt ce fut le chaos. Lorsque je rouvris les yeux, j'étais couchée dans un lit d'hôpital et la figure de Jacques se tenait au-dessus de la mienne. Je ne comprenais plus rien. Lorsque je songe à cet événement je ne puis m'empêcher d'en vouloir à la vie et de maudire l'étoile sous laquelle je suis née. Pourquoi le destin se plaît-il tant à m'éprouver? N'avais-je pas assez souffert? Non, il y a des jours où c'en est trop, il y a des jours où l'on souhaiterait ne jamais être venue au monde. Le souvenir de cet accident alimente ma rancœur. Je me sens devenir haineuse et je souffre de savoir que je suis impuissante à me venger. Je n'éprouve que du dégoût et je me fais pitié à moi-même. Pis encore, je me trouve ridicule d'avoir tant combattu pour rester dans ce monde qui se complaît dans l'injustice, car il s'agit bien d'injustice. Après tout, je n'ai jamais fait de mal à personne. je n'ai cherché tout au long de ma vie qu'un bonheur tranquille et sans histoire. Je n'ai jamais convoité l'inaccessible, alors comment expliquer les malheurs dont je suis la victime? Serais-je porteuse d'un mauvais sort? Les murs de la nuit qui m'abrite se resserrent autour de moi, et du fond de l'obscurité, ressurgissent les voix maléfiques qui déjà m'avaient tourmentée au début de mon fatidique périple. J'ai donc enduré toutes ces souffrances pour me retrouver à mon point de départ. Les incommensurables efforts que m'ont coûté chaque instant de ma vie seraient donc récompensés par l'échec le plus ingrat? Quelle misère que la vie humaine! Et voilà que je pleure, voilà que mon cœur éclate et qu'il déverse au sein de la solitude la plus totale son lourd fardeau de peines retenues. Mes yeux sont en feu et ma tête est balayée par une violente tempête de sable noir. Je n'en puis

J'ai choisi de vivre...

Esther   Jacques

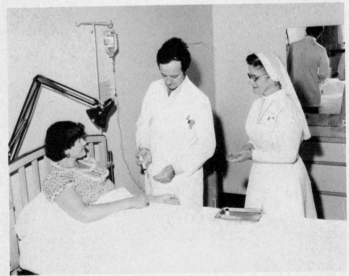

Le Dr René Blouin, hématologiste, et la Sr Bernadette Théberge.

Je continue ma lutte.

Dr Maurice Thibault.

M. Raymond Laplante, ptre.

Le Pavillon Carlton-Auger.

plus, mais ma mémoire ne connaît pas la clémence. Sourde à ma prière, elle continue de faire revivre les pénibles moments de mon combat. Elle me ramène à ce jour où je pénétrai dans ma maison en chaise roulante.

Cet accident sur la route de Tadoussac m'avait assez grièvement blessée. J'avais une commotion cérébrale et une légère fracture du crâne. Une de mes chevilles était aussi fracturée et ma clavicule était déplacée. Je fus hospitalisée pendant douze jours. Au début, je ne pus voir Esther, car dans la salle des soins intensifs où je me trouvais alors, seuls les adultes étaient admis. L'inquiétude me rongeait. Je la croyais morte. Lorsque enfin je fus transférée dans une chambre, mon premier désir fut de téléphoner à ma fille afin d'entendre sa voix. Quand je la rejoignis, tout de suite elle me dit: « Tu es en vie, maman! » Mon cœur battait à tout rompre. Cette année-là je fêtai mon anniversaire à l'hôpital. J'eus droit à une visite d'Esther qui vint alors m'apporter un cadeau.

À la suite de cet accident, je dus me déplacer en chaise roulante pendant quelques mois. Cette difficulté supplémentaire eut pour effet d'augmenter ma dépendance. Anne-Marie revint à la maison afin de m'aider car, bien sûr, je n'arrivais plus à faire mon travail. Je me sentais extrêmement malheureuse; j'avais l'impression de devenir un véritable fardeau pour les gens qui m'entouraient. Si je désirais sortir, je devais demander à quelqu'un de me transporter; dans ma demeure, mes déplacements étaient restreints et, de plus, j'avais le sentiment d'être une réelle nuisance. Cependant mon orgueil me poussa à ne rien montrer de ma peine. Encore une fois je ne me serais pas pardonné de faire partager mes souffrances aux membres de ma famille. Aussi essayai-je de rester dynamique et souriante. Je me souviens qu'au moment de l'anniversaire de Jacques je m'étais fait un point d'honneur de lui organiser une fête. J'y réussis et j'en retirai une grande satisfaction. Cela m'aida par la suite à reprendre courage. Lentement je m'habituai à vivre à un autre rythme et m'occupai le plus possible. J'exécutais toutes les tâches qui étaient à ma mesure et j'évitais de me séquestrer. Je repris goût à la vie, et les jours se déroulaient malgré tout avec bonheur.

Je reçus, au cours du mois de mai, un appel téléphonique de la part du département de radiologie de l'institut Carlton-Auger. L'on m'informait que les derniers examens que j'avais subis avaient révélé une récidive au niveau du médiastin. Je devais me présenter au pavillon le 25 mai suivant. Évidemment, je n'avais pas le choix. Le 25 mai venu, Jacques vint me reconduire pour la troisième fois à l'Hôtellerie. Des jours extrêmement noirs nous attendaient tous les deux. Nous redoutions l'avenir autant l'un que l'autre, mais nous ne pouvions rien y faire. Lorsque je le quittai pour entrer au pavillon, je le regardai une dernière fois en essayant de mettre dans ce court moment de silence toute l'intensité de mon amour. Il comprit. Sur ma joue il passa sa main que je baisai affectueusement. « Courage », me dit-il, et il s'en retourna vers la voiture que je vis bientôt disparaître au tournant de la rue. Je savais à quel point il était malheureux et c'est pourquoi j'avais insisté pour qu'il n'entrât pas avec moi dans le pavillon. Je préférais qu'il ne me vît pas tout de suite dans ce décor que je connaissais trop bien. Je pénétrai donc seule dans cette prison qui me devenait de plus en plus familière. Je reconnus, bien sûr, les membres du personnel qui m'accueillirent gentiment comme d'habitude, et je n'eus pas besoin de guide pour trouver le chemin de la chambre que l'on m'avait assignée.

J'appris avec beaucoup de peine que le docteur Thibault avait dû être hospitalisé. Le docteur André Girard avait pris sa relève et c'est lui désormais qui allait s'occuper de moi. Lorsque je le rencontrai, il m'expliqua que j'avais à subir divers examens et que je devrais donc pour cela me déplacer assez fréquemment du pavillon à l'hôpital. Cette nécessité était loin de m'enchanter puisque je ne pouvais pas encore quitter mon fauteuil roulant. Cependant, là non plus, je n'avais pas le choix. Durant les premières semaines je ne reçus aucun traitement. L'on me fit subir plusieurs tests dont j'attendais avec impatience les résultats que pourtant l'on ne me communiquait guère. Un médecin suppléant me rencontrait une fois la semaine, mais il ne semblait pas très au courant de mon cas. À force de poser des questions à tous et à chacun, je finis par découvrir que mon dossier avait été égaré. Je communiquai avec un membre du personnel des archives qui essaya de me rassurer en me disant: « Soyez sans crainte, il doit être sur le bureau du médecin consultant. » Je dus attendre un mois avant que l'on retrouve le fameux dossier. Inutile de dire à quel point cette situation m'avait exaspérée. Ainsi, après cette longue attente, l'on décida de me référer à un groupe d'hématologistes car la radiothérapie, dans mon cas, ne se révélait pas la meilleure solution. Je fis donc la rencontre de ces cinq spécialistes en chimiothérapie. Ils me proposèrent un traitement désigné sous le nom de M.O.P. dont la durée était de six mois. Je recevrais le traitement une fois toutes les deux semaines. J'avais vaguement entendu parler de ce M.O.P. Je savais que certains patients y réagissaient très mal. Ils avaient des nausées continuelles et ils devenaient vite très faibles. Mais je décidai de faire confiance aux hématologistes, me disant que, somme toute, j'avais bien des chances de réagir positivement à cette cure. Je subis donc mon premier traitement de M.O.P. Lorsque je me relevai du lit où l'on m'avait installée afin de recevoir ces solutions chimiques, je me sentais très bien. Je montai donc à ma chambre, contente de me trouver en si bonne forme. Malheureusement, une heure plus tard, je commençai à avoir des nausées et elles se poursuivirent tout le reste de la journée. Le lendemain, l'on me permit de rentrer chez moi, à la condition que je me présente à nouveau à l'hôpital dans deux semaines afin de recevoir le second traitement. Je me sentais faible mais au moins je ne vomissais plus, alors j'acceptai cette entente. Deux semaines plus tard je revins donc à Carlton-Auger, et l'on m'injecta à nouveau les fameuses solutions chimiques. Cette fois-ci ce fut la catastrophe. Lorsque Jacques vint me reprendre le soir à l'hôpital, les vomissements n'avaient pas encore cessé. Il m'emmena quand même à la maison et j'essayai de lutter contre les nausées, mais mes efforts furent vains. Cinq jours plus tard j'étais encore dans le même état. Je dus retourner à l'hôpital où l'on me donna des solutés pendant des jours entiers. J'étais complètement déshydratée. Recevoir ce traitement représentait pour moi un véritable enfer, mais je voulais vivre, coûte que coûte. Aussi je m'étais résignée à endurer toutes ces souffrances dans l'espoir que, peut-être, je finirais par guérir. Lors de ce retour à Carlton-Auger j'appris une nouvelle qui m'attrista énormément: Barbara, dont l'amitié m'étais si chère, avait été atteinte d'une maladie contagieuse infantile dont elle ne s'était jamais remise. Elle était morte quelques jours plus tôt. Je me rappelle les traits harmonieux de sa figure, sa belle chevelure brune, ses yeux d'un bleu vif cherchant souvent les miens. Ils m'interrogeaient et me suppliaient d'apaiser l'angoisse qui s'était réfugiée dans ce jeune corps au dessin parfait. Lorsque j'appris la nouvelle de cette mort, je me sentis révoltée, dégoûtée de la vie, mais en même temps, ce ressentiment alimenta ma propre volonté de lutte. Je ne donnerais pas raison à la mort.

Je pus retourner chez moi et l'on m'avisa que dorénavant je resterais hospitalisée quelques jours lors de chaque traitement. Ma vie était donc scandée aux caprices de cette cure. Je me trouvais bien dix jours sur quinze, puis le cauchemar recommençait. Je me sentis bien vite épuisée et je désespérais de voir un jour la fin de ces six mois d'enfer. Heureusement, durant cette période, je fis la rencontre d'une religieuse dont le dévouement me fut extrêmement précieux. Sœur Bernadette Théberge s'occupa en effet de moi avec beaucoup de conscience professionnelle et aussi avec beaucoup de générosité et de douceur. Son aide m'aida grandement et je lui serai toujours reconnaissante. Souvent elle m'apporta des médicaments afin de calmer mes nausées et sa présence me soutenait. Elle me rendit les moments de douleur moins difficiles à supporter, et toutes ses attentions me touchèrent beaucoup. Elle appartenait à la congrégation des Augustines qui fondèrent l'Hôtel-Dieu de Québec et, à travers elle, j'appréciai la somme de travail qu'avaient effectuée jusqu'à nos jours ces femmes qui avaient consacré, depuis tant et tant d'années, leur vie aux soins des malades.

Un an déjà était passé depuis que l'on avait dépisté chez moi la présence du cancer. Notre vie en avait été entièrement bouleversée. Les malheurs n'avaient cessé de se multiplier et, même si nous ne voulions pas devenir injustement pessimistes, il nous était difficile d'envisager l'avenir avec le sourire. Le moment était venu pour nous de prendre des décisions importantes. Jacques se sentait de plus en plus seul face aux responsabilités familiales, il ne pouvait vraiment pas compter sur moi pour l'aider en quoi que ce soit. Aussi un soir me fit-il part de son désir de vendre le commerce. Au début je ne voulais pas en entendre parler. Je me sentais coupable envers lui et l'idée qu'à cause de moi il mettrait de côté son ambition professionnelle m'était insupportable. Cependant il réussit à me faire entendre raison, et il m'expliqua que lui-même s'en trouverait plus heureux. La vie lui paraîtrait moins lourde à porter de cette façon-là. J'eus énormément de peine mais j'acceptai son idée. Il retourna travailler pour son ancien patron. Durant toute cette période extrêmement difficile, Jacques resta toujours à mes côtés. Je me souviens des soirs durant lesquels il m'a veillée des heures entières en m'épongeant le front. Oui, sans Jacques je n'aurais jamais pu passer à travers ces épreuves. Sa présence me stimulait et me rassurait. Il a toujours été et est encore le rayon de lumière auquel je m'accroche désespérément.

L'automne 1974 me parut extrêmement long. Lorsque le temps des fêtes approcha, les médecins de l'hôpital interrompirent ma série de traitements. Quelle délivrance! Je me sortais encore une fois de l'impasse. J'appréhendais cependant la poursuite de cette cure mais je m'encourageais en me disant que le pire était passé. Cette année-là je voulus montrer à ma famille que j'avais été capable de me battre dignement. Je décidai de tous les recevoir pour le souper du Jour de l'An et, pour me forcer à retrouver ma pleine autonomie, je donnai congé à Anne-Marie qui depuis un an m'avait fidèlement assistée. Tous nous la vîmes partir avec regret, mais elle méritait bien de retourner chez les siens et de se reposer. De mon côté je mis tout en œuvre pour préparer une imposante réception. Je me concentrai entièrement sur le travail à faire et, ma foi, je me sentis heureuse de vivre. Je me rappelle avec quel enthousiasme je choisis les cadeaux de Noël pour ma famille. Je m'évertuai à dénicher des décorations originales, je fis un grand ménage dans toute la maison et je modifiai quelque peu son allure. Quelle vitalité m'animait alors! Je me demande bien où je pouvais puiser ma force et ma fièvre de vivre. Je me souviens que mes amies n'en revenaient pas. L'une d'entre elles m'avait un jour avoué qu'elle était bien incapable d'entreprendre autant de choses en même temps et pourtant elle jouissait d'une santé plus qu'excellente. Moi-même, ce soir, je m'étonne d'avoir pu dépenser autant d'énergie, d'avoir pu goûter au bonheur de façon aussi intense après avoir connu autant de difficultés. Il faut croire que l'instinct de vie possède une force bien extraordinaire. Chose certaine, j'étais fière de moi et chaque jour je voyais grandir ma satisfaction. Il s'agissait d'une sorte de cercle vicieux. Plus je travaillais, plus j'ambitionnais d'entreprendre d'autres projets. Lorsque le jour du Nouvel An arriva j'étais extrêmement excitée. J'avais mis tout mon orgueil à préparer cette réception et lorsque j'allai ouvrir la porte à mes premiers invités je me sentis animée d'une joie incomparable. Tous se réjouirent de me trouver en aussi bonne forme. J'eus l'occasion, ce soir-là, de renouer mon amitié avec plusieurs personnes que je n'avais pas vues depuis fort longtemps. Ma maison respirait la vie et le bonheur. Comme je trouvai cela bon!

Peu de temps après les fêtes je dus toutefois recevoir les autres traitements de M.O.P. qui m'avaient été prescrits. Ma torture s'acheva en février 1975. Je croyais que j'en avais fini avec ces liquides chimiques, lorsque les médecins m'avisèrent que mon état laissait encore à désirer. Ils étudièrent attentivement mon cas et me proposèrent d'autres formes de chimiothérapie. Je fis un dernier effort et je me prêtai à nouveau à d'autres traitements, mais le résultat fut identique: mon corps se rebellait chaque fois. À la fin je n'y tins plus. Je savais que la cessation des traitements signifiait pour moi l'acceptation de voir se raccourcir mes jours. Mais l'idée de vivre constamment sous l'empire de ce martyre m'était absolument insupportable. Après mûre réflexion je décidai de mettre un terme à ces traitements. J'optai pour la qualité de ma vie, quitte à mourir un peu plus tôt que prévu. Ce raisonnement fut difficilement accepté par les médecins. Ils me demandèrent de réfléchir encore. Hésitante, j'allai trouver l'abbé Laplante dont je m'étais quelque peu éloignée, même si je lui donnais de temps à autre signe de vie. Après en avoir longuement discuté avec lui tous mes doutes s'effacèrent. Ma décision était irrévocable: je ne subirais plus cette sorte de traitements. Je ne retournai plus à l'hôpital.

À la maison je me débrouillais du mieux que je pouvais, mais mes forces allaient en décroissant. Je devais faire alterner les périodes de travail et de repos. Nous n'avions pas repris Anne-Marie à notre service. D'une part, j'avais un immense besoin de me tenir occupée. Il était important pour mon équilibre moral de me sentir utile et autonome. D'autre part, ma longue maladie entraînait un accroissement de dépenses. Souvent mon poids variait et je devais acheter de nouveaux vêtements. Les nombreux déplacements que mes visites à l'hôpital exigeaient s'avéraient aussi très onéreux. Nous ne pouvions plus nous permettre de garder Anne-Marie. Esther en fut très chagrinée mais, heureusement, elle fréquentait alors la maternelle, aussi s'ennuya-t-elle moins de la jeune fille.

Je devins quelque peu dépressive à cette époque. J'appréhendais beaucoup l'avenir. Je ne voyais plus ce que la médecine était capable de faire pour me venir en aide. L'on m'avait prédit une fin prochaine, et même si je repoussais de toutes mes forces cette sombre perspective, je ne pouvais m'empêcher quelquefois de m'y attarder. J'étais fréquemment songeuse. L'après-midi, lorsque j'étais seule à la maison, il m'arrivait de m'asseoir dans le salon et d'imaginer ce qui se passerait dans l'éventualité de ma mort. Mon cœur se resserrait à l'idée d'abandonner Esther et Jacques. Je n'arrivais pas à me résoudre à cette injuste et déchirante séparation. Elle devint une véritable obsession.

Un jour, toutefois, je reçus un appel qui me fit grand plaisir. Ginette Gagnon, une jeune femme que j'avais rencontrée lors d'un de mes séjours à l'Hôtel-Dieu, me téléphona pour prendre de mes nouvelles.

Je fus agréablement surprise par nos retrouvailles car cette amie m'avait grandement impressionnée. Sa volonté tenace, son infatigable combativité, sa très forte personnalité m'avaient rendu son amitié précieuse. En fait, je connus Ginette peu de temps après le décès de Barbara. Cette jeune fille à la silhouette élégante vint un jour me voir dans ma chambre. Elle se présenta et me demanda si je voulais bien lui donner quelques informations sur une intervention chirurgicale que j'avais préalablement subie et à laquelle elle-même allait être soumise: l'ablation de la rate. Je discutai donc avec elle de cette expérience, et les jours suivants nous prîmes l'habitude de nous rencontrer. Nous sommes vite devenues très proches l'une de l'autre. Ginette avait un fiancé qui se nommait Philippe. Ce dernier l'aimait passionnément et il lui était entièrement dévoué. Ginette, malheureusement, était atteinte du cancer, et, lorsqu'elle en avait été mise au courant, elle avait rompu ses fiançailles avec Philippe, ne voulant pas devenir pour lui un fardeau. Le jeune homme avait très mal accepté cette décision. En fait, il se refusait à l'idée que la vie de Ginette puisse être aussi précaire. Il nourrissait le rêve de la voir un jour entièrement guérie. Pour lui, elle n'allait pas mourir et il était certain que le moment viendrait où il l'épouserait. Lorsque Ginette m'avait raconté cette histoire, j'en avais été profondément bouleversée, cependant, sa certitude d'avoir pris la bonne décision, quant à l'éventualité de son mariage, me permit d'apprécier toute la force de son caractère et je l'en admirai davantage.

L'après-midi où je reconnus la voix de Ginette au téléphone, j'en fus très heureuse. J'étais alors réellement découragée et je savais à quel point son calme et sa présence pouvaient m'être bénéfiques. Je lui racontai tout ce qui s'était passé depuis que nous nous étions quittées. Après m'avoir patiemment écoutée, elle me dit qu'elle se trouvait à nouveau à l'Hôtel-Dieu de Québec. J'en fus attristée. Je promis cependant d'aller la visiter et le lendemain je me rendis auprès d'elle. Je la trouvai changée, amaigrie. Elle me raconta qu'elle avait fait la rencontre, quelques mois plus tôt, d'un jeune homme qui travaillait à l'Institut Pie-X où avaient lieu des sessions de prières et de séances de lecture biblique. Elle me dit combien ce garçon l'avait aidée au cours des durs moments qu'elle avait traversés. Je fus surprise de l'entendre dire: « La science ne peut rien mais Dieu peut tout. » Ginette avait énormément souffert au cours des derniers mois. Elle était à nouveau sous les soins d'un chimiothérapeute et les traitements de chimie provoquaient encore chez elle de terribles réactions. Toutes les deux, nous avions déjà subi ensemble une série de ces traitements. Nous nous encouragions à cette époque-là l'une l'autre; le fait d'avoir partagé des moments aussi difficiles avait tissé entre nous des liens fort solides. J'essayais encore de la soutenir, je la visitais souvent et nous nous téléphonions quotidiennement. Ginette, malgré les durs moments qu'elle traversait, trouvait néanmoins le courage de rire.

Son amitié me permit de sortir de la solitude où j'étais en train de m'enfermer. En fait je n'osais parler ni de ma maladie, ni de mon angoisse avec mes proches. Je me refusais de les embarrasser avec mes problèmes, et puis surtout je savais à quel point la vision du monde était différente pour les gens qui n'avaient pas à se soucier de leur santé. Au cours de

ces périodes de trouble j'ai fini par séparer le monde
en deux clans: le clan de ceux qui, chaque jour, doivent combattre pour rester en vie, et celui des gens
qui ne mettent pas en doute le lever de soleil du lendemain. La santé est devenue pour moi synonyme de
luxe alors que, pour la plupart des gens, elle est un
bien acquis. Il m'arrive parfois de les envier. Je souhaiterais qu'ils se rendent compte de leur chance
afin qu'ils profitent au maximum de la vie qui coule
en cascade au creux de leurs veines. Mais je sais la
vanité de ces discours. Est précieux ce qui nous semble inaccessible. Aussi, ai-je pris l'habitude de me
taire. Avec Ginette, cependant, je pouvais enfin partager des impressions, des émotions, discuter sans
crainte de certaines angoisses qui bien souvent se
révélaient des préoccupations communes. Je n'avais
pas non plus besoin de passer par de longues expli-
cations avant de me faire comprendre. Nos expé-
riences se ressemblaient et nous avions traversé les
mêmes carrefours. Je m'inquiétais toutefois pour
Ginette. L'on aurait dit, à l'entendre parler, qu'elle
avait remis son sort entre les mains de quelqu'un
d'autre. En fait, elle m'entretenait de plus en plus
souvent de miracle. J'avais beau lui dire que nous
fabriquions nous-mêmes notre chance, elle ne paraissait pas vouloir modifier son point de vue. Elle
répétait sans cesse: « Je l'aurai mon miracle. » Cela
me choquait de la voir raisonner de la sorte. Ginette
s'accrochait à une illusion et je m'opposais violemment à cette attitude. Ma foi, je l'ai mise tout entière
dans la religion de la vie, dans la religion de la résurrection. Je ne crois pas aux rêves ni aux interven-
tions surnaturelles. J'aurais tant voulu l'amener à
penser autrement, mais j'en fus incapable. Pendant

toute la durée de l'hiver nous sommes demeurées en contact. Je lui rendis visite très souvent à l'hôpital et il nous est arrivé quelquefois d'aller au cinéma. Lorsque vint le printemps, je trouvai qu'elle commençait à s'affaiblir sérieusement. Certains jours, après ses traitements, elle devait rester au lit. Je me doutais qu'elle allait bientôt nous quitter et j'essayais, dans un dernier effort, de la convaincre de faire confiance à ses propres forces. Parfois je me fâchais, mais jamais elle ne m'en tint rigueur. À chaque visite je la retrouvais souriante, docile.

Une fois, alors que je me rendais la voir, je remarquai, en m'approchant de sa chambre, qu'un médecin en sortait. Lorsqu'à mon tour j'y pénétrai, je vis tout de suite que la figure de Ginette était empreinte de détresse. J'en devinai bientôt la cause: « Il t'a dit que tu venais d'atteindre la phase terminale », lui dis-je, et elle acquiesça. Elle me parla avec encore plus d'ardeur du miracle qu'elle attendait. Le jour de Pâques venu, elle me téléphona pour me dire qu'elle aussi connaissait les bienfaits de la résurrection: elle s'était levée, avait visité d'autres malades et s'était même rendue chez les siens. Cependant, le 11 avril 1975, je lui parlai pour la dernière fois. Lors de cette visite, elle me répéta être encore convaincue qu'un miracle la sauverait. Quelques heures après que je l'eus quittée, elle mourait; elle avait accepté de se donner au Seigneur en qui elle avait remis tout son espoir.

Sa mort me fit beaucoup de mal. Son souvenir ne me quittait pas. Encore cette nuit il me semble la voir s'avancer vers moi. Je me rappellerai toujours l'infinie douceur de son regard. Chère Ginette, dans quel monde ton miracle t'a-t-il emmenée? Regrettes-tu la vie là où tu es? Je suis seule en ce moment dans le noir. Le corps allongé dans le lit voisin est endormi. Depuis des heures maintenant j'attends un signe qui aurait le pouvoir de m'indiquer la bonne décision à prendre. Ne peux-tu pas m'entendre?

Voilà que moi aussi je suis tentée de m'en remettre à la sagesse de quelqu'un d'autre. Serais-je devenue aussi faible? Aurais-je à ce point perdu l'espoir? Pourtant jusqu'à cette nuit je n'ai jamais cessé de combattre. Même après le départ de ma fidèle amie je continuai de lutter. Je me sentis à nouveau bien seule, mais lorsque l'année scolaire se termina, je retrouvai la compagnie d'Esther et pris plaisir à m'occuper d'elle. Elle souhaitait suivre des cours de natation. Jacques et moi avions accédé à sa demande. Trois fois la semaine j'allais la reconduire à la piscine et souvent le dimanche après-midi nous y retournions avec Jacques. Justement, un de ces dimanches, je pris froid. Le temps était particulièrement humide et frais, et je ne portais ce jour-là qu'une petite robe de coton. J'eus la grippe mais je ne m'inquiétai pas davantage. À cette époque je ne recevais plus, bien sûr, de traitements en chimiothérapie, mais je continuais néanmoins de voir les hématologistes qui suivaient mon cas de près. Lors d'une de mes visites l'un d'eux me trouva grippée, mais il ne s'attarda pas à ce malaise bénin. Je commençais cependant à avoir très mal au poumon gauche et, un jour, je décidai d'aller en parler à mon médecin de famille. Il me conseilla de consulter immédiatement un spécialiste. Je me rendis donc à l'Hôtel-Dieu de Québec où j'appris que j'étais atteinte d'une pneumonie. Je me refusais à le croire. J'en avais assez de traîner ma vie dans les hôpitaux. C'en était trop, vraiment trop. Jacques et moi, de même que mon beau-frère et sa femme, avions justement projeté de nous rendre à Montréal pour assister à un mariage le samedi suivant. Voilà qu'encore une fois je devais renoncer à ce plaisir: nous étions le mercredi et je devais entrer tout de suite à l'hôpital. Ce jour-là je sentis toute ma force s'effondrer. Je devins extrêmement agressive à l'égard du personnel hospitalier et le médecin qui vint me dire que ma vie tirait à sa fin fut très mal reçu. Il voulait que j'accepte de recevoir d'autres traitements de chimie et je m'y refusais.

— Je ne vous permets pas de juger de ma vie ainsi, lui criai-je violemment. Croyez-vous pouvoir me guérir avec votre chimie?

— Vous guérir, non; prolongez votre vie, oui.

— Alors, si vous ne pouvez pas me guérir, ma décision reste la même: je ne veux plus entendre parler de chimie.

Ce médecin me quitta fort mécontent. Quelques minutes après son départ, une infirmière vint à son tour me voir et essaya elle aussi de me faire changer d'idée. Je devins vraiment exaspérée. Je ne pouvais plus me retenir. Soudain, je sautai à bas du lit et, faisant fi de la forte fièvre qui m'affaiblissait, je me dirigeai à toute vitesse vers les ascenseurs: je trouverais le docteur Thibault. Arrivée au sous-sol, j'enfilai le couloir qui menait à son bureau et le trouvai là, alors qu'il refermait sa porte. Il fut surpris de me voir arriver aussi brusquement et s'enquit immédiatement de la raison de mon agitation. Calmée par son sourire, réconfortée par sa grande patience, je lui décrivis la situation dans laquelle je me trouvais et il ne manqua pas de me venir en aide. Il me référa aussitôt à un pneumologue qui s'occupa enfin décemment de moi. Mon hospitalisation se prolongeait. Plusieurs médecins m'examinèrent successivement. Chacun me proposait un traitement mais j'étais loin d'être en accord avec leurs suggestions. Je ne savais plus où donner de la tête et me sentais perdue. En qui devrais-je remettre ma confiance? J'en avais marre de voir les spécialistes faire la ronde autour de moi. J'aurais préféré avoir affaire à un seul médecin avec qui j'aurais pu discuter, échanger. J'essayais d'exercer des pressions au niveau de l'administration afin que le corps médical accède à mon désir, mais ces démarches se soldèrent par un insuccès. Cependant je réussis à guérir de ma pneumonie et bientôt je retrouvais la paix de mon foyer. Toutefois, avant de quitter l'hôpital, un médecin prit la peine de me rendre une dernière visite. Il me dit gentiment que je ne vivrais sûrement pas jusqu'en juillet prochain. Ce à quoi je répondis: « On en reparlera en juillet prochain. »

Je sortis de cette dernière épreuve complètement révoltée. Je ne voulais surtout plus entendre parler du milieu hospitalier. L'été s'acheva sans problème et au mois de septembre Esther commença à aller à l'école. J'avais toujours pensé que ce moment devait être fort excitant, or je découvris que cette première séparation nous laissait, ma petite et moi, plutôt tristes. Esther devait s'adapter à un milieu nouveau et quitter la sécurité du foyer. Quant à moi, j'eus le sentiment que je la perdais un peu. Je me rendis compte pour la première fois du caractère extrêmement possessif de l'amour que je lui vouais. Je tus mes émotions et contrôlai mes instincts surprotecteurs. Esther deviendrait une jeune fille épanouie, autonome et libre. Je voulais mettre toutes les chances de son côté.

À cette époque nous habitions du côté de la Rive Sud. Jacques et Esther devaient traverser le fleuve chaque jour pour se rendre à Québec. Je les reconduisais le matin et retournais les chercher le soir. L'état fragile de ma santé rendait ces déplacements assez pénibles. Un soir, Jacques suggéra que nous déménagions. Je craignais de manquer de force. L'idée de réorganiser tout l'intérieur d'une maison m'effrayait. Pourtant, il s'agissait là de la seule solution possible à nos problèmes de déplacement. Je me rendis donc à l'évidence qu'il nous fallait trouver un logement à Québec. J'ignore où je puisai mes forces, mais le déménagement eut lieu, et il nous fallut à peine deux semaines pour tout remettre en ordre. Évidemment nous avons bénéficié de l'aide de toute la famille. Une chance qu'ils étaient là. Je m'habituai donc à mon nouvel entourage et je suivis avec attention la métamorphose que l'automne imposait au paysage de la vieille cité. Je voyais les arbres se dépouiller peu à peu de leur parure; ils devenaient gris et secs. Au même moment je sentais que mon corps aussi se départissait de sa vitalité. Les journées avaient le goût de la tristesse. Je m'épuisais à un rien, je doutais constamment de mes forces. Allais-je passer le seuil de la nouvelle année? Je commençai à être sérieusement découragée. J'affaiblissais de plus en plus et je n'entrevoyais pas comment je pourrais m'en sortir. Valait-il mieux me laisser emporter vers la mort comme une barque à la dérive? Qui entendrait mon dernier appel, mon dernier cri avant que je ne me noie? Je m'enfermai dans la solitude.

La vie prit les couleurs de la pluie et lorsque dans

la glace je considérais ma figure, il me semblait contempler une étrangère. Même mon visage s'éloignait de moi, devenait une sorte de mirage. Une seule personne était peut-être encore capable de m'aider: il s'agissait du docteur Thibault. J'allai à lui désespérée. Il m'accueillit une fois de plus et me prouva à nouveau à quel point j'avais raison de lui accorder ma confiance. Il me prescrivit une autre série de traitements en radiothérapie que je reçus en clinique externe. Les résultats cependant laissaient à désirer. Mon état ne s'améliorait guère et des douleurs osseuses m'imposaient de terribles tortures. Les spécialistes recommencèrent à se succéder: physiatre, neurologue, orthopédiste m'examinaient à tour de rôle sans toutefois apporter de solution véritable. Un médecin, par contre, me prescrivit de la cortisone. Ce médicament agit de manière assez efficace. Il me redonna de l'entrain et je pus m'acquitter des travaux ménagers sans trop m'épuiser. Le temps des fêtes approchait et je souhaitais être en forme pour Noël et le Nouvel An. En fait, ma situation était assez contradictoire. De l'extérieur je paraissais rayonnante de santé. Mon poids s'était mis soudain à augmenter de façon injustifié. Je savais que c'était là un mauvais signe, mais les gens qui ignoraient la présence du mal qui me grugeait enviaient ma fière allure. Je tins le coup jusqu'à la première communion d'Esther qui eut lieu le dimanche suivant Noël. Les jours qui succédèrent à cet événement furent cependant de véritables cauchemars. La perspective de ma mort prochaine et inévitable hantait mon esprit. Je perdais l'appétit et je ne dormais plus. Je cherchais par tous les moyens à me distraire de ces sombres pensées. Des nuits entières je veillais au salon, assise dans un fauteuil, en écoutant de la musique ou en essayant de lire. Vivre ainsi ressemblait à de la démence. Je me parlais souvent toute seule; il m'arrivait aussi de prier, tellement mon désespoir était grand. Je crus par moment que j'allais perdre la raison. Je ne me résignais pas à vivoter de la sorte, j'en voulais à ce corps qui m'empêchait d'aller au bout de mes désirs, au bout de mes envies. Mon être n'était plus qu'une chair révoltée. Bizarrement, je crois que ma révolte alimenta la lutte que je ne cessai de mener, car par-dessus tout je refusais de lâcher prise. Lors d'une de mes visites à l'hôpital je rencontrai un chimiothérapeute qui me dit qu'une solution chimique nouvelle venait d'être mise au point et qu'il valait la peine de l'essayer. À bout de résistance, j'acceptai sa proposition. Deux jours plus tard l'on m'injectait ce fameux produit. Quelques heures après j'étais aux prises avec de formidables nausées. Le lendemain, lorsque l'infirmière arriva avec sa seringue, je la repoussai. J'étais si faible que je pensais mourir si l'on me donnait encore à prendre ce poison. L'on comprit, cependant, les raisons de mon refus, et l'on me garda quelques jours à l'hôpital afin que je me repose, mais personne n'insista pour que je donne suite à ces traitements. Je retournai chez moi déçue mais non encore vaincue. Mais le jour où je me vis perdre tous mes cheveux, je pensai que la mort ne tarderait plus. Je m'habituai à porter une perruque et je continuai néanmoins de suivre ma routine quotidienne. Malgré tout, au fond de moi, la vie avait encore des racines et je ne pouvais m'empêcher de les entretenir. Les mois passèrent et ma capacité de résistance ne cessait de m'étonner. Esther termina son année scolaire et l'été s'annonçait magnifique. Jacques avait envie d'aller en voyage durant le mois de juillet. Je me dis que ce serait bien fou que de me priver de ce plaisir. Nous décidâmes de faire le tour de la Gaspésie et, le temps venu, nous partîmes gaiement. Je fus heureuse de retrouver la mer. Elle me fascinait. J'oubliais les épreuves endurées dans la contemplation de ces paysages magnifiques, grandioses. J'avais beaucoup de satisfaction à voir que ma famille ressemblait à toutes les autres. À notre retour, je remarquai cependant à la base de mon cou la présence d'un nodule. Je n'attendis pas. Tout de suite je me présentai à l'hôpital. C'est à ce moment-là que j'appris la mutation toute récente du docteur Thibault qui était dorénavant affecté au département de médecine nucléaire. Cette nouvelle me donna un grand choc. Le docteur Girard le remplaçait et c'est lui qui m'examina. Il me fallut du temps avant d'accepter la présence d'un nouveau médecin, mais il réussit à gagner ma confiance. Grâce à la radiothérapie, nous empêchâmes le nodule de se développer mais le mal me grugeait toujours. Mes os me faisaient énormément souffrir et cela ne cessait d'empirer. Il a fallu que je reprenne place dans une chaise roulante. Toutes mes forces étaient épuisées, je ne pouvais même pas descendre seule du lit. Jacques, chaque matin, devait me prendre dans ses bras pour me déposer dans le fauteuil. Je n'osais plus questionner l'avenir, je me contentais de vivre au jour le jour et j'espérais.

La situation ne s'améliora guère durant les semaines qui suivirent. Je restais patiente et j'endurais mais, il y a trois jours de cela, je n'en puis plus. L'idée que sans doute ma condition irait toujours en s'aggravant m'affolait. Il existait sûrement un moyen de ralentir ma destruction. Je demandai à Jacques de me laisser à l'hôpital en se rendant travailler. Je ne le lui dis pas, mais je mis dans un sac quelques vêtements de même que mes pantoufles, car je me doutais bien de ce qui allait suivre. D'ailleurs je ne me trompais pas. Lorsque le docteur Girard m'a vue, il m'a tout de suite introduite dans son bureau même si aucun rendez-vous n'avait été fixé au préalable. Il suggéra de m'hospitaliser afin que je puisse subir certains tests et j'acceptai, bien sûr, cette offre.

— Vous devez faire quelque chose, lui dis-je.

— Nous essaierons de trouver. Je vous le promets, m'assura-t-il.

Voilà que les premières lueurs du jour apparaissent à la fenêtre. Le matin me presse déjà. Ma voisine de chambre dort encore. J'anticipe son réveil, non qu'elle me soit antipathique, mais parce qu'elle souffre trop et que son désespoir fait quelquefois vaciller mes propres forces. Elle aussi est atteinte du cancer et la mort nous guette l'une comme l'autre. Je crains parfois qu'elle meure là, à mes côtés, sous mes yeux horrifiés. Je prie Dieu de m'éviter ce tragique spectacle. J'ai demandé une autre chambre mais aucun lit n'est actuellement disponible ailleurs. Ses plaintes, son découragement m'exaspèrent. Il lui arrive de prier sur un ton suppliant et elle sort alors de son tiroir une image du Christ ensanglanté portant sur sa tête la couronne d'épines. Durant de pareils moments je me sens devenir nerveuse et colérique. Je déchirerais ce dessin avec toute la violence dont je suis encore capable. J'étoufferais cette voix porteuse de mauvais sort. Non, je ne veux pas la mort. Je la repousse loin de moi, loin de mon corps et loin de mon esprit. Je n'entrerai pas dans le sillage de ses angoisses. C'est elle qui me craindra. Même si elle tente de m'attirer au fond de ses remous, je suis encore trop lucide pour me laisser prendre à ses pièges. Je ne me cache pas sa puissance, je ne voile pas mes yeux devant l'éclat perçant de son soleil noir. Au contraire, mon regard demeure constamment braqué sur elle. Je l'épie de seconde en seconde, je surveille chacun de ses gestes, je ne lui donne aucune chance de mettre à exécution ses plans maléfiques et secrets. Je monte la garde, et même si le sommeil me tenaille, je lui résiste, coûte que coûte, je lui tiens tête. Je ne grossirai pas le butin de cet ennemi diaboli-que. Je dirige ma propre résistance, que la mort m'as-siège si elle le désire, mais je ne tomberai pas, du moins pas encore. Je ne m'avouerai jamais vaincue, qu'elle se le tienne pour dit.

Le soleil bientôt va se lever. Les images de la nuit me quittent sur la pointe des pieds, mais leurs traces sont encore toutes chaudes sur la surface de mon âme. Ma mémoire a parcouru les dédales de mon ardu combat. Alors que je faiblissais, elle m'a rappelée à l'ordre. Je n'ai certes pas enduré toutes ces souffrances inutilement. J'ai remporté trop de victoires pour m'abandonner aujourd'hui sur les che-mins glissants de la lâcheté. Je comprends mieux à présent la raison pour laquelle dans ma tête les ima-ges de ma vie se sont bousculées. C'était afin de me montrer l'ampleur de ma force et la puissance de ma volonté. Non, je ne reculerai pas. Je peux dormir à présent car j'ai retrouvé la paix.

* * *

Je me réveille en sursaut. Une main froide a touché mon bras. Je reconnais la voix familière du docteur Girard.

— Est-ce que vous avez passé une bonne nuit, madame Moineau?

— Oui, docteur, je me sens bien. J'ai longuement réfléchi aux propositions qui m'ont été faites hier et j'ai pris ma décision. Je vous donne mon accord pour expérimenter le *total body*. Si vous le désirez, je peux vous signer certaines formules afin de vous dégager de toute responsabilité au cas où cela tournerait mal.

— Non, madame Moineau, ce ne sera pas nécessaire. Je vais aviser les radiothérapeutes de votre décision immédiatement. Ayez confiance.

— Oui, docteur, j'ai confiance.

VI

J'en suis à ma deuxième séance de traitement. Tout semble aller pour le mieux et je m'en réjouis. Je suis cependant extrêmement lasse. Chaque fois que l'on me ramène à ma chambre je m'endors. Comme je ne puis marcher, les infirmières viennent souvent me voir et je discute longuement avec elles. Ces visites m'aident à trouver les jours moins ennuyants. Jacques hier soir était impatient de me retrouver. Il m'avoua que toute la journée il avait été terriblement inquiet. J'avais pris un gros risque en optant pour le *total body*, personne ne savait comment l'expérience se solderait, d'ailleurs il est encore beaucoup trop tôt pour tirer des conclusions, mais au moins je suis toujours là, bien vivante. Ce matin j'ai eu la visite de l'abbé Laplante. Il y avait très longtemps que je ne l'avais vu et j'appréciai grandement sa présence. Je lui montrai quelques photos d'Esther. « Mon Dieu, comme elle est grande déjà! » s'exclama-t-il, et ensemble nous partîmes sur les chemins du souvenir. Je le remerciai pour son soutien et sa fidèle amitié. En regardant sa figure un peu vieillie, j'essayais de recomposer dans ma tête les traits de sa jeunesse. Moi aussi j'ai vieilli. En plus de subir le poids des ans, mon corps porte également les marques des souffrances que j'ai endurées. Mais tout ce que je demande, ces temps-ci, à ma charpente, c'est de tenir le coup!

L'abbé Laplante exerce son sacerdoce dans un hôpital. Je suis certaine qu'il aide de nombreux patients car la chaleur qui émane de sa personne réconforte grandement. Il faut avoir l'âme un peu missionnaire pour convaincre les gens de tenir à leur vie même s'ils ont l'impression d'être allés au bout de leurs forces. Je lui racontai comment j'en étais venue à accepter de recevoir le *total body*. Il loua mon courage et ma force de caractère, mais je lui assurai que je n'étais pas digne de tels compliments. « Vous savez, lorsque l'on n'a plus rien à perdre... », lui expliquai-je. Il resta longtemps debout auprès de moi. Lorsqu'il me quitta, je lui demandai la permission de lui téléphoner à son travail. « Appelle-moi aussi souvent que tu le désires, Thérèse », me répondit-il et il partit. L'infirmier vint alors me chercher. Il me déposa sur une petite civière et me conduisit jusqu'au sous-sol. Le sommeil me gagne à nouveau. J'espère ardemment que les prédictions négatives des médecins ne s'incarneront pas.

* * *

Esther est au bout du fil. Sa mince voix de fillette est secouée par d'énormes sanglots. Je l'entends pleurer, sa respiration est saccadée. Que se passe-t-il donc? « Tu vas mourir, maman, je le sais, tu vas mourir. » Cette phrase venant de la bouche d'Esther me laisse stupéfaite. Pourquoi me dit-elle cela aujourd'hui, alors que jamais auparavant elle n'a semblé s'être doutée de la gravité de mon état? J'ai toujours évité au cours de mes conversations de prononcer le mot mort à mon sujet. Je ne parle pas devant elle de ma maladie et je lui cache mes douleurs. Elle sait, bien sûr, que je suis souvent hospitalisée mais Jacques et moi ne nous étendons pas sur le sujet. Dès que je reviens de mon émotion, je tente de la rassurer.

— Mais non, Esther, où as-tu pris cette idée? Maman est à l'hôpital pour quelques temps mais l'on me soigne bien et je vais beaucoup mieux. Pourquoi as-tu pensé que j'allais mourir?

— C'est à cause de madame Gagnon, notre professeur. Elle nous a dit au début du mois que son frère était hospitalisé à l'Hôtel-Dieu tout comme toi maintenant. Elle nous a fait prier pour lui en classe afin qu'il guérisse. Aujourd'hui, maman, le frère de madame Gagnon est mort, et il avait le cancer, comme toi maman, comme toi.

Et ma pauvre chérie pleure de plus belle. Je dois lui enlever cette idée de la tête.

— Écoute, Esther, nous avons chacun notre vie, chacun notre destin. Personne ne peut dire à quel moment il va mourir. Cela peut se produire, comme tu le sais, lorsque nous sommes très vieux ou lorsque nous sommes plus jeunes. Mais ce n'est pas parce que deux personnes ont la même maladie qu'elles vont nécessairement en mourir toutes les deux. Dieu a décidé que la vie du frère de madame Gagnon était finie et il est venu le chercher pour l'emmener au ciel, mais moi il me laisse ici, auprès de toi, et il me donne des forces parce qu'il sait que j'aime beaucoup ma petite fille et que je veux rester avec elle long-temps encore. Maman n'est pas près de mourir, et d'ailleurs, je ne pense jamais à cela. Tu vois bien que je suis ici, que je te parle et que je me sens bien. Je reviendrai bientôt à la maison et, crois-moi, nous res-terons ensemble toi, ton père et moi pendant encore beaucoup, beaucoup d'années. Oublie cette histoire ma petite Esther, elle n'a rien à voir avec ta maman. Est-ce que tu me promets de ne plus te faire de peine avec ça?

— Si tu me dis, maman, que tu ne vas pas mourir, je veux bien te croire, mais j'aimerais aller te voir. Est-ce que je peux?

— Bien sûr que tu peux me rendre visite. De-mande à ton père de t'emmener avec lui pendant la fin de semaine. Je serai très contente de pouvoir t'embrasser. D'ici là, ne pleure plus, et sache bien qu'il n'est pas du tout question que je meure. Tu vas mieux à présent?

— Oui, maman, je serai là dimanche, c'est promis.

— D'accord, je vais t'attendre. Au revoir.

Pauvre Esther, pauvre petite fille qui se fait du souci à cause de moi. Mon Dieu, que je suis malheu-reuse! J'ai toujours voulu la protéger de la dure réali-té de la vie et voilà qu'à mon insu le trouble s'est ins-tallé dans son cœur d'enfant. Pourvu qu'elle oublie cette idée sordide et que son professeur ne parle plus de cancer. Je souhaiterais quelquefois qu'il puisse exister sur terre un lieu privilégié où les enfants vi-vraient à l'abri de la laideur du monde. En tant que pédagogue je me reproche ce genre d'idée, mais en tant qu'adulte et en tant que mère je serais bien prête à travailler pour la réalisation de cette utopie. Lorsquej'étais petite, je me souviens que ma mère nous disait toujours: « Vous êtes mes trésors, prenez soin de vous. » Je ne comprenais pas alors ce que ces paroles signifiaient, ou plutôt, je ne m'expliquais pas comment des enfants comme nous pouvions être des objets aussi précieux. Dès la naissance d'Esther je fus envahie par le désir de la protéger. Au cours de ma maladie je me suis souvent inquiétée pour ma fille et j'ai toujours redouté les questions directes et spontanées que les enfants posent en toute innocence. Surtout je craignais qu'Esther, à force de me voir continuellement partir pour l'hôpital, perde confiance en moi, ou encore qu'elle développe un sentiment d'insécurité. Je me suis perpétuellement efforcée de paraître solide à ses yeux. Esther fut l'un des éléments les plus importants de mon combat et sans le savoir elle m'a forcée à me dépasser. Son influence sur moi continue de s'exercer. M'obligeant à porter le masque de la force, mon enfant m'oblige du même coup à me conformer au personnage que je crée. Mais jamais je n'aurais voulu l'entendre pleurer si désespérément à cause de moi. Je sais bien que ma réaction est loin d'être raisonnable. Il vaut mieux qu'Esther s'éveille tranquillement à la réalité du monde afin de ne pas la craindre plus tard, mais comme c'est difficile à accepter. Jacques l'emmènera sûrement avec lui dimanche, je devrai paraître en pleine forme afin que son cœur retrouve la paix.

* * *

Les séances de traitement me fatiguent un peu moins depuis quelques jours. Vraiment, j'éprouve de plus en plus la certitude qu'encore une fois je vais me sortir de l'impasse. Je remercie le ciel de la force qu'il m'accorde. L'être humain me surprend. Alors que tout me poussait vers la mort, voilà que je me remets à espérer et que ma tête formule de nouveaux projets pour l'avenir. Je songe déjà à quitter ces lieux afin de retrouver ma petite famille. Bientôt, tous ensemble, nous fêterons la venue d'une nouvelle année et je serai là, moi aussi, pour l'accueillir. J'ai donc eu raison pendant tout ce temps de me débattre avec vigueur. Certains membres du personnel hospitalier qui commencent à bien me connaître n'en reviennent pas eux non plus de l'amélioration de mon état de santé. « Madame Moineau, vous êtes fantastique », me disent-ils. Je leur réponds qu'au fond je dois tout à la médecine. Il est exact que sans le constant effort des chercheurs, sans la foi de certains médecins en leur profession, je ne serais sans doute plus de ce monde. Par contre, je sais à présent à quel point il est important de croire en sa propre vie et de ne jamais abandonner le combat. Le docteur Thibault partageait cette philosophie et je lui suis reconnaissante de m'avoir guidée sur cette voie.

Je me souviens d'une jeune femme que j'avais connue au pavillon Carlton-Auger lors de mon deuxième séjour là-bas. Elle se nommait madame Rolande Gosselin. Son mari était agriculteur et elle était mère de deux filles et d'un garçon encore en bas âge. Nous avions partagé certaines sorties et nous nous étions bien promis de nous revoir. Je me demande ce qu'elle devient. Je possède encore son numéro de téléphone. Je l'ai remarqué l'autre jour en feuilletant mon carnet d'adresses. J'ai envie de l'appeler. Je compose le numéro et une voix d'enfant me répond.

— Bonjour, est-ce que ta maman est là?

— Non, madame, maman est à l'hôpital.

— Est-ce que tu sais à quel hôpital elle se trouve?

— Oui. Elle est à l'Hôtel-Dieu de Québec, au seizième étage.

— Au seizième étage dis-tu? Très bien, je te remercie beaucoup.

Rolande serait donc dans l'une des chambres avoisinantes. Je dois la trouver. Je m'informe auprès d'une des gardes-malades qui passent dans le couloir et elle m'indique la porte derrière laquelle mon amie se cache. Je demande que l'on m'y transporte et un infirmier s'empresse de m'y conduire.

Lorsque dans ma chaise roulante je m'approche du lit de la jeune femme, je vois Catherine écarquiller les yeux de surprise. « Thérèse! » s'exclamat-elle. Et ses mains, que je serre bien fort dans les miennes, se sont tendues vers moi. Nous sommes toutes les deux émues.

— Chère Thérèse, c'est un véritable miracle que nous nous retrouvions ici! Tu es donc toi aussi hospitalisée?

—Ah oui! et imagine-toi que ma chambre est toute proche de la tienne. Elle est là, juste en biais.

Tout en conversant, je ne puis m'empêcher de constater combien Rolande a vieilli. Sa figure s'est terriblement ridée et ses cheveux étaient complètement tombés. Son teint blanc et les cernes sous ses yeux laissent deviner les souffrances qui se sont réfugiées dans son corps. Nous nous racontons les principaux événements qui ont marqué nos vies depuis la dernière fois que nous nous sommes vues. Rolande me paraît infiniment fragile. Sa voix trop douce me découvre le grand état de faiblesse dans lequel elle se trouve. Je vois qu'elle se fatigue et je propose de la laisser se reposer. Avant que je ne la quitte, Rolande insiste pour que je revienne un peu plus tard au cours de la journée. « Ramène avec toi une photo d'Esther », me demande-t-elle. J'accepte.

* * *

Il est vingt-deux heures. Le personnel hospitalier est en veille alors que la plupart des patients dorment, mais je n'arrive pas à trouver le sommeil. Vers la fin de l'après-midi je suis retournée voir Rolande et je lui ai apporté, comme convenu, une photo d'Esther. Elle considéra longuement la figure de ma petite, me dit qu'elle avait vraiment de très beaux yeux, puis ce fut le moment du souper et je retournai à ma chambre. Jacques arriva peu de temps après, et alors que mon mari et moi discutions de l'avenir et des nombreux projets qui nous tiennent à cœur, Rolande mourait. Lorsque l'infirmière qui m'apporte habituellement les derniers médicaments de la journée m'annonça son décès, je fus totalement bouleversée. Mon cœur se resserra et depuis il n'a pu trouver la paix. Que Dieu m'épargne une mort aussi anonyme!

* * *

Esther tient sa promesse: elle vient de pénétrer dans ma chambre en compagnie de son père. Elle m'embrasse et me serre très fort entre ses petits bras. Sur mon lit, elle dépose un gros sac et attend joyeu-

128

sement que j'en découvre le contenu. « Tu sais, j'ai fait moi-même l'emballage de ton cadeau », m'annonce-t-elle fièrement. Je me dépêche de l'ouvrir. Ce sont des pantoufles. Je la remercie vivement. Elle s'assoit dans le fauteuil près de la fenêtre et me regarde avec beaucoup d'attention. Jacques me parle, mais je sens les yeux de ma fille fixés sur moi. J'essaie de la faire parler. Elle ne répond que très brièvement à mes questions. Je m'étonne de la voir aussi sage. Il me semble que depuis que je l'ai quittée elle a encore grandi. Bientôt elle se lève et s'approche de moi. Sa main touche ma figure, caresse mes cheveux. « Je t'aime, tu sais », finit-elle par chuchoter. Je suis émue. Je sens que je risque de me mettre à pleurer, mais il ne le faut pas, elle s'inquiéterait. « Moi aussi, Esther, je t'aime, nous serons à nouveau bientôt ensemble », lui dis-je. Elle fait signe que oui avec sa tête. Le soleil traverse la fenêtre et vient plonger dans la chevelure blonde d'Esther. J'espère que ma fille ne connaîtra jamais les tourments de la maladie. Pourvu que la vie soit clémente à son égard. Elle deviendra une femme bien vite et se dégagera de mon étreinte pour voler de ses propres ailes. Un jour elle nous quittera son père et moi, et elle mettra peut-être d'autres enfants au monde. Décidément, je ne suis pas près d'abandonner ma lutte car je veux vivre vieille afin de suivre ma fille au long de sa vie. J'ai déjà perdu beaucoup de temps. Je fus trop souvent séparée d'Esther au cours des dernières années. Son enfance s'achève déjà et je n'en aurai profité que spasmodiquement. J'ai suivi sa croissance de loin en essayant d'être présente le plus possible, mais trop de fois j'ai dû m'éloigner de mon foyer. J'espère que mes fréquentes disparitions n'auront pas laissé de mauvaises traces dans le cœur d'Esther. Jacques s'en est toujours fidèlement occupé, aussi lui est-elle énormément attachée. Les preuves d'amour qu'elle m'apporte ces derniers temps me font un grand bien. Souvent j'ai craint ne pas avoir d'importance pour elle, or je constate aujourd'hui qu'elle tient à moi et que, malgré tout, le mot maman a pour Esther de profondes résonances. L'heure des visites s'achève. Jacques s'apprête à partir. J'embrasse mes deux amours une dernière fois et voilà que soudain ils disparaissent.

* * *

— Madame Moineau, je suis content de vous confirmer le succès des traitements que vous avez subis. Vous serez en mesure de retourner dans votre maison afin de passer le temps des fêtes avec votre famille.

Je sauterais bien au cou de ce médecin qui m'annonce aujourd'hui une aussi bonne nouvelle.

— Vous pourrez quitter l'hôpital le 18 décembre. Bien sûr, il faudra que vous reveniez afin de poursuivre votre cure, mais profiter de la joie des fêtes en famille vous fera le plus grand bien.

Je suis parfaitement d'accord avec lui sur ce point. L'idée de passer Noël entre ces quatre murs blancs me déprimait énormément. Je suis sauvée encore une fois! Jacques accueille la perspective de mon retour avec une grande joie. Lorsque je mets Esther au courant, elle lance un grand cri de bonheur. Mes deux amours m'attendent, et de mon côté je fais le décompte des minutes qui passent; je me rapproche avec excitation du moment où je réintégrerai ma place au sein de mon foyer que j'ai bien cru ne jamais revoir.

130

VII

Je quitte l'hôpital en chaise roulante. Lorsque je dis au revoir aux infirmières qui s'étaient occupées de moi pendant mon séjour, je leur promis qu'à mon retour au début du mois de février je marcherais. Je sais bien qu'elles ne m'ont pas crue. Le docteur Girard lui-même m'a laissé entendre que je ne devais pas entretenir de folles illusions. Mais moi, j'ai décidé que je viendrais à bout de l'obstacle. À force de lutter pour l'impossible l'on finit par se croire capable de tout. Je ne perdrai rien à essayer.

Une jeune religieuse a pris soin de ma maison en mon absence. Elle se nomme sœur Côté. Depuis mon retour, elle continue de venir chaque jour passer quelques heures avec moi afin de m'aider à exécuter les travaux domestiques. J'apprécie sa compagnie et son dévouement. Vraiment, j'ai de la chance. Il est parfois difficile de trouver des gens fiables entre les mains desquels l'on puisse remettre le sort d'une famille. Avec sœur Côté j'ai discuté longuement de la notion d'espoir et de foi. Je fus heureuse de pouvoir parler de ces choses avec quelqu'un. Durant ma vie j'ai été si souvent confrontée à des sentiments extrêmes. J'ai connu les sommets de la révolte et du désœuvrement aussi bien que des minutes d'exaltation et de bonheur incomparables. Par ailleurs, j'ai rencontré sur mon chemin plusieurs personnes qui vivaient leur foi de manière bien différente les unes des autres. J'ai eu à maintes reprises l'occasion de me rendre compte qu'il est important, dans les pires heures d'angoisse, de pouvoir se raccrocher soit à un idéal, soit à un espoir même précaire. Le bonheur de ma famille a toujours été pour moi une sorte de bouée de sauvetage. Ce fut et c'est encore mon principal objectif, celui qui me garde alerte au combat.

Lorsque je suis seule dans la maison, je m'entraîne à pouvoir marcher. Je me place dans le couloir et je délaisse ma chaise roulante. J'essaie alors de me tenir debout en m'appuyant aux murs qui m'entourent. Je sais qu'un jour je réussirai à faire quelques pas. L'envie de goûter à l'exaltation que me procurera cette victoire me stimule incroyablement. Lorsque j'aurai atteint ce but j'aurai la preuve que la volonté et le courage de l'homme ont des pouvoirs illimités.

Je me sens actuellement dotée d'une énergie fantastique. Je suis passée si près de la mort que j'ai nettement l'impression d'être ressuscitée. Mes combats précédents et ma toute récente victoire m'emplissent d'une immense satisfaction. Je voudrais trouver le moyen de dire au monde entier que l'espoir est toujours permis. Tant de gens souffrent et perdent confiance en eux. Il ne faut pas se croire vaincu d'avance. Par contre, je ne dois pas commettre l'erreur de prendre pour acquis mon actuel regain de vie. Je ne suis pas au bout de mes peines. Une rechute est toujours possible, et qui me dit que le *total body* ne me réserve pas de mauvaises surprises? Cependant je veux trop jouir de mon bonheur pour m'embarrasser d'aussi sombres projections. Je me donne tout entière à ma joie, je m'y livre innocemment sans me soucier d'être raisonnable. Si des problèmes surviennent il sera toujours temps de reprendre le masque de la tristesse.

Enthousiaste comme je le suis, j'ai poussé l'audace jusqu'à inviter ma famille et celle de Jacques à venir réveillonner chez nous au Jour de l'An. Presque tous ont accepté mon offre, non sans quelque surprise. Je sais que Jacques estime que je suis folle d'aller au-devant de tant de fatigue, mais il me connaît, il sait que rien ne m'arrêtera. Je dois absolument me remettre à marcher d'ici ce moment-là. Quelle tête ils feraient si, bien solide sur mes jambes, je leur ouvrais moi-même la porte.

* * *

Plus que trois jours à présent me séparent du 31 décembre. Jacques et Esther sont allés patiner, sœur Côté m'a avertie qu'elle ne viendrait que demain. Je dois profiter de ces heures de solitude pour me réessayer à marcher. Hier j'ai réussi à me tenir debout pendant cinq minutes sans toucher aux murs. Je me dirige vers le couloir. Une fois que j'y suis arrivée, je mets les pieds par terre et descends de ma chaise. Mes jambes sont engourdies; cela ne durera pas longtemps. Je ressens un peu de douleur au niveau des mollets et des cuisses, mais je résiste à la tentation de me rasseoir. Mes mains sont appuyées aux murs. J'essaie d'abord de bouger la jambe droite. Elle écoute mon commandement. Je fais de même avec la jambe gauche et elle aussi m'obéit. Je délaisse tranquillement mon appui et je ramène bientôt mes bras le long de mon corps. Tout mon poids est donc soutenu par mes jambes qui ne manifestent encore aucun signe de faiblesse. J'attends cinq minutes puis je replace mes mains contre le mur. Je prends de bonnes respirations et essaie de me détendre avant de me risquer à marcher. Cette fois-ci ça y est, je dois réussir à avancer. Je tente ma chance. C'est impossible, je n'ose y croire. Je viens d'exécuter trois pas sans que mes jambes ne vacillent. L'émotion se répand partout dans mon corps. Je suis exaltée. J'arrête un peu et me repose. Puis je décide de recommencer le même exercice mais sans compter sur l'appui de mes bras. Je reprends ma marche et à mon grand étonnement j'arrive au bout du corridor sans avoir tremblé, sans même avoir hésité. Mon vœu est exaucé, merci, mon Dieu, merci, je suis sauvée, j'ai réussi!

* * *

Tout est prêt pour la réception. Sœur Côté m'a donné un bon coup de main pour l'élaboration du buffet et Jacques s'est occupé de faire le ménage. Quant à Esther, elle étrenne une robe neuve et s'admire sans gêne devant la glace. Nous sommes tous les trois au salon et nous attendons. Bientôt l'on sonne à la porte. Jacques vient pour se lever mais il est arrêté dans son mouvement à cause de la surprise. Je suis debout avant lui. Ses yeux s'écarquillent stupéfaits, interrogateurs. Il en a le souffle coupé.

— Mais voyons, mon chéri, qu'attends-tu pour m'accompagner jusqu'à la porte?

— Thérèse, tu marches!

— Eh oui! je marche. Dépêche-toi, nos invités vont s'impatienter.

Et je prends les devants. Esther applaudit et crie: « Papa, papa, regarde, maman n'est plus dans sa chaise roulante! C'est un miracle, papa! » Avec fierté et assurance j'ouvre enfin la porte pour découvrir devant moi six têtes étonnées, ahuries. Après une seconde de silence, des exclamations jaillissent de partout. C'est le Nouvel An le plus merveilleux de toute ma vie. Je porte un toast à l'année 1977 et à tous les bonheurs qu'elle nous réserve. Ma mère pleure de joie en me regardant et Jacques et Esther se tiennent à mes côtés souriants et heureux. Mon cœur est trop petit pour contenir toute l'allégresse qui monte en moi comme une vague.

* * *

Le mois de février s'amena bien vite. Je retournai à l'Hôtel-Dieu pour une seconde session de traitements qui dura trois semaines. Cependant ces jours d'hospitalisation se déroulèrent sereinement. D'un côté je savais que cet internement serait court, et puis, d'autre part, j'avais quitté pour de bon ma chaise roulante. Le docteur Girard n'en revenait pas. Il m'avoua que selon tous les critères médicaux j'étais condamnée à ne plus jamais marcher. Mon exploit le renversait. En toute franchise, je dois confesser que j'étais extrêmement orgueilleuse de ma réussite.

Je me baladais devant le personnel hospitalier avec sur les lèvres un sourire plein de fierté et de satisfaction. Certains durent se demander pourquoi je me promenais toujours ainsi d'un bout à l'autre des corridors. Je me déplaçais constamment sauf durant les heures qui suivaient la séance de traitements. Dès qu'une chance se présentait de pouvoir me lever, je la saisissais avec empressement. J'étais comme une enfant d'école.

Je suis à la maison depuis bientôt quatre mois. À mon retour de l'hôpital je me sentais très forte. La venue du printemps me permit de faire de longues promenades au soleil et je visitai plusieurs petites villes non loin de Québec. Cependant je commençai à ressentir de sérieux brûlements à la nuque qui me tenaient éveillée des nuits entières. Le docteur Girard me référa à un orthopédiste qui me prescrivit le port d'un collier afin d'éviter une rupture de la moelle. Si cela se produisait, je risquais la paralysie.

Nous avons repris à notre service une auxiliaire familiale. Je ne dois pas me fatiguer et il pourrait être dangereux de me laisser seule. Esther s'entend très bien avec la jeune fille qui vit maintenant avec nous et qui se prénomme Lyse. Elles sont devenues de très bonnes copines. Quant à moi, je me réjouis de l'amitié qui nous lie et vraiment Lyse m'est une compagne très chère.

Dernièrement, je visitai la nouvelle maison d'un de mes beaux-frères. Alors que je descendais un escalier, je tombai bêtement. Sur le coup, je ne ressentis aucun mal, mais quelques jours après des douleurs osseuses me tenaillèrent. Je dus consulter à nouveau l'orthopédiste, et depuis lors je suis obligée de porter constamment un corset qui ressemble à une véritable armure.

Les vacances de Jacques approchent et nous nous proposons d'aller dans la région de Drummondville où plusieurs de nos amis résident. J'espère que tout ira bien pendant ces quelques semaines de détente.

* * *

Chère Madame,

Je désire vous informer que votre glande thyroïde et vos glandes surrénales cesseront de fonctionner sous peu. Si vous voulez communiquer avec moi dès que possible.

Bien vôtre
Docteur...
Endocrinologue.

Voilà la lettre que je trouvai à notre retour de vacances. Comme réception on ne fait pas mieux! J'appréciai à sa juste valeur la délicatesse de la bureaucratie hospitalière et entrai aussitôt en communication avec le docteur Girard. Il me référa à un endocrinologue qui me prescrivit un hyperthyroïdien et de l'acétate de cortisone. J'essaie, grâce à ces médicaments, de tenir le coup mais mon énergie décroît sans cesse. Chaque matin je me lève au prix d'incommensurables efforts et je traîne péniblement mon corps jusqu'au soir. J'ai de plus en plus de difficulté à mouvoir ma jambe gauche. Je me déplace donc à l'aide d'une canne. L'automne me semble triste et le soleil à mes yeux a perdu son éclat. Esther a recommencé d'aller à l'école. Elle se révèle ma plus grande

137

source d'espérance. Sa vitalité et son amour réussissent à entretenir ma volonté de vivre et, lorsque je suis avec elle, je m'efforce de paraître joyeuse. Elle me sauve de l'abîme vers lequel je me sens attirée. Jacques travaille beaucoup, nous ne nous voyons pas souvent. Lorsqu'il rentre il est épuisé. J'essaie de lui cacher ma faiblesse à lui aussi. Je considère que l'on doit protéger les êtres que l'on aime. Je ne veux pas qu'ils aient à porter le fardeau de mes douleurs. Ce n'est pas là leur rôle ni leur devoir. Ils m'aident déjà beaucoup en renouvelant sans cesse leurs preuves d'amour à mon égard. Je songe quelquefois aux personnes seules qui ont à relever d'aussi pénible défi que le mien. Comme cela doit être dur de se débattre dans le noir en sachant que l'on ne peut compter sur personne! Et puis surtout je me demande où elles puisent le stimulant nécessaire à la poursuite du combat. Il me semble que si je n'avais pas mon mari et mon enfant il y a longtemps que j'aurais abandonné la partie. Quel but aurait alimenté ma lutte?

La semaine prochaine j'entreprendrai une nouvelle cure de radiothérapie. Je souhaite qu'elle se révèle efficace, en attendant je m'occupe du mieux que je peux afin de ne pas trop penser. Broyer du noir n'a jamais aidé personne.

J'ai ouvert le téléviseur. Cela crée l'impression d'une présence, et quelquefois certaines émissions réussissent à me distraire. On y parle actuellement d'un concours de commerciaux. Il s'agit de concevoir un message publicitaire pour un concessionnaire de voitures. Tiens, ce pourrait être amusant de tenter l'expérience. Qui sait, je gagnerais peut-être le concours! En tous cas je bénéficie de tout mon temps pour préparer ce projet et mon esprit serait alors absorbé par autre chose que les soucis. Je prends tous les détails en note et, l'émission terminée, je téléphone au poste de télévision afin de poser ma candidature. J'ai deux semaines devant moi pour travailler à l'élaboration du commercial. Allons-y, mettons en œuvre notre imagination!

* * *

J'ai réussi à mettre au point le commercial qui a été présenté pendant neuf semaines au jugement du public. Cependant, il y a deux jours, j'ai dû retourner d'urgence à l'hôpital. Le médecin m'a toutefois accordé aujourd'hui un congé de quelques heures afin que je puisse assister en studio à l'émission au cours de laquelle le jury fera connaître le nom du gagnant. J'attends actuellement la décision du public. J'ai vraiment eu beaucoup de plaisir en me prêtant à ce jeu. Peu importe que je gagne ou non, j'ai de toute façon atteint mon but: me changer les idées et connaître un nouveau milieu. Mais ce serait drôle si je remportais le concours. Ma famille et plusieurs de mes amis sont actuellement à l'écoute de l'émission. J'espère que je ne les décevrai pas trop. Hier, à l'hôpital, tandis que j'attendais mon tour pour pénétrer dans la salle de traitements, je racontai à quelques patients que je rencontre souvent la petite aventure dans laquelle je m'étais embarquée. Ils parurent amusés. Une des infirmières qui entendit l'histoire vint me trouver pour me féliciter de la façon dont je menais ma vie. « Vraiment, madame Moineau, des personnes comme vous, l'on en rencontre peu souvent », me dit-elle. Je me trouvai gênée par cette remarque, je ne savais quoi répondre. Je suis trop consciente du nombre impressionnant de personnes qui ont à combattre contre des maladies et des problèmes de toutes sortes pour tirer orgueil de mes efforts. « Mais tout le monde ici est admirable », lui répondis-je, en désignant avec ma main tous les patients réunis. « Vous avez raison, ajouta-t-elle, mais tous ne bénéficient pas de votre intarissable dynamisme. Vous savez, madame Moineau, que vous pourriez vous rendre très utile à beaucoup de personnes. » Je la regardai un peu intriguée par ses dernières paroles. « Si vous écriviez un livre, vous partageriez votre expérience avec un large public et je suis certaine que pour beaucoup de gens ces pages constitueraient une véritable source d'encouragement », finit-elle par m'expliquer. Moi, écrire un livre, pensai-je, mais je n'en ai pas le talent et puis cette entreprise serait bien prétentieuse. La jeune femme me quitta pour retourner à son travail mais elle me demanda, avant de me laisser, d'y songer, même si l'idée me paraissait à prime abord incongrue.

Un roulement de tambour qui vient du plateau d'enregistrement me sort de la rêverie. On procède au tirage des billets. Le gagnant sera celui qui, le premier, obtiendra cinq votes. Voilà que nous sommes trois actuellement à avoir trois chances, mais bientôt, sous mon nom, deux autres votes viennent s'ajouter et je suis déclarée gagnante. J'éclate de rire et me lève aussitôt de mon siège. Je vais rejoindre l'animateur de l'émission et je m'adresse bientôt au public qui applaudit. Esther doit être fière de sa mère en ce moment.

Je rentre à l'hôpital amusée et satisfaite. Le personnel hospitalier de même que mes voisins de chambre me félicitent, et Jacques prend plaisir à m'agacer en me traitant comme si j'étais une vedette. Bientôt je suis demandée au téléphone. Un représentant du département des relations publiques de l'Hôtel-Dieu désire me parler. Il m'explique qu'un groupe de médecins et d'infirmières se réunira prochainement pour assister à une conférence ayant pour thème les relations entre le personnel hospitalier et les patients. Il veut savoir si j'accepterais de participer à ce colloque en tant que porte-parole du groupe des patients. J'hésite un peu puis je finis par accepter. Je ne serai pas un orateur particulièrement talentueux, mais je m'acquitterai de cette tâche avec toute ma sincérité. Si mon apport est jugé utile, au moins aurais-je réussi à aider quelques personnes.

* * *

Bien des semaines se sont écoulées depuis le soir où, devant un auditoire d'une centaine de personnes, j'exprimai enfin tout haut ce que bien des malades ressentent et vivent dans le secret de leurs souffrances. Mon discours n'avait rien de sensationnel mais il a rejoint, semble-t-il, le cœur de bien des gens. Aujourd'hui une recherchiste d'un poste de télévision a communiqué avec moi afin de me demander si je me prêterais à l'enregistrement d'une émission qui serait consacrée aux problèmes particuliers que doivent affronter les mères de famille qui sont aux prises avec des maladies aussi accablantes que le cancer. J'acceptai car je suis convaincue à présent que l'amorce d'un tel dialogue peut être bénéfique. À la suite de la première conférence que j'ai donnée, j'ai reçu plusieurs lettres de la part de gens de tous les milieux qui étaient eux-mêmes malades, ou qui vivaient aux côtés d'une personne aux prises avec la souffrance et qui affrontait la mort. Ces gens m'ont remerciée et ils m'ont dit s'être sentis moins seuls, moins délaissés. Ces témoignages m'amenèrent à reconsidérer la suggestion que m'avait faite l'infirmière à propos du livre qu'elle souhaitait me voir écrire. D'autres médecins et d'autres membres du personnel hospitalier m'ont aussi encouragée à donner suite à ce projet. J'ai donc décidé de me mettre à la tâche dans l'espoir que mes mots rejoignent et aident ceux qui, comme moi, luttent pour leur vie. Les malades se réfugient souvent au sein d'un silence qu'il est fort difficile de percer. Les gens qui entourent les personnes qui souffrent n'arrivent pas toujours à comprendre les attitudes ou les réactions de ces dernières. J'espère que le récit de mon expérience et de ma lutte incessante pour survivre redonnera du courage à ceux qui seraient tentés d'abandonner le combat. Il y a toujours de l'espoir, voilà surtout ce que je désire communiquer à mes semblables. Cet exercice d'écriture m'oblige moi-même à plus d'effort. Je continuerai de repousser l'ennemi.

VIII

Ces dernières pages, je les dédie tout particulièrement au corps médical et au personnel hospitalier. Tous ces gens qui soignent le malade, qui passent de nombreuses heures en sa compagnie ont une grande influence sur lui, non seulement sur le plan de l'amélioration ou de la détérioration de son état physique, mais aussi sur la manière dont le patient sera amené à envisager la dure lutte qu'il doit mener. Au cours de mes fréquents séjours dans les hôpitaux, j'ai pu me rendre compte de l'importance de certains gestes, de certaines paroles, et je profite de l'occasion qui m'est actuellement offerte pour amorcer un dialogue qui, je le souhaite ardemment, se poursuivra dans l'intimité des rapports qui lie chaque être humain souffrant avec celui qui est peut-être le plus en mesure de le sauver: son médecin.

La situation dans laquelle je me trouve aujourd'hui est la conséquence d'une négligence médicale.

Si l'on avait dépisté à temps le mal dont je suis atteinte, j'aurais pu certes être sauvée. Mais voilà que l'on ne s'est pas attardé à la source réelle de mes inquiétudes, voilà que l'on s'est empressé de me rassurer avec des paroles sans toutefois se donner la peine d'examiner la cause de mon trouble. Lorsque enfin quelqu'un s'est décidé à me prendre au sérieux, il était déjà trop tard. Ce genre d'erreur ne pardonne pas. Mon ton n'est pas celui de la haine, il se fait plutôt suppliant. Je sais qu'il est impossible de réparer le tort qui m'a été fait mais, de grâce, que ce scénario ne se répète plus! Trop souvent j'ai remarqué avec quelle insouciance certains médecins traitent l'être humain qui vient jusqu'à eux, inquiets, anxieux, et chaque fois je me sens envahie par la révolte. Le rôle premier du médecin n'est-il pas celui d'écouter son patient? Un manque de conscience professionnelle entraîne des conséquences trop graves pour qu'il soit toléré. Les petites pilules de toutes les couleurs que l'on distribue si facilement ne règlent pas toujours les problèmes. Le temps passe, un beau matin l'on se trouve face à la catastrophe et les chances de guérison se restreignent. Heureusement l'ensemble du corps médical s'acquitte avec sérieux de sa mission, mais les cas d'exception seront toujours trop nombreux et les victimes d'erreurs médicales paient de leur vie la faute commise; pour cela il n'y a pas de pardon, ni même de vengeance possible. Songez-y bien, docteur, lorsqu'un malade se présentera à vous. Peut-être serez-vous moins tenté de vous en débarrasser comme s'il s'agissait d'un simple numéro.

Les hôpitaux, aux architectures imposantes et dédaléennes, favorisent certainement l'anonymat des relations qui s'établissent entre les gens qui y circulent. Et pourtant, n'est-ce pas dans les moments de souffrance que l'être humain a le plus besoin de chaleur? Certes, il est difficile pour le personnel hospitalier de s'arrêter à chaque patient, d'essayer de le connaître et de lui parler car les malades sont si nombreux et le travail si pressant. Cependant, un sourire, une bonne parole égaieront une journée de solitude et de tourments. Je remercie les gens qui se sont occupés de moi et qui m'ont aidée à traverser des instants de désespoir et je les encourage à poursuivre leur travail de façon aussi consciencieuse. Je sais que le dialogue entre patients et membres du corps médical est possible. Pour réussir à le mettre en route il faut toutefois que médecins et infirmières gagnent la confiance du malade. Ce dernier doit sentir qu'il est pris en considération lors de certaines décisions. Il ne suffit pas de lui annoncer quelles sont les mesures que l'on a prises pour lui, encore faut-il lui indiquer les raisons qui justifient ces choix. Le malade est aussi un être humain pensant. Bien sûr, le vocabulaire de la médecine est déroutant, mais si l'on prend la peine de décrire les choses simplement, le patient pourra comprendre et il respectera d'autant plus les gens qui essaient d'améliorer sa situation. Il est important de mettre le malade au courant de ce qui lui arrive, car le doute et l'angoisse peuvent ravager autant que le mal qui sournoisement mine son corps.

Annoncer à quelqu'un qu'il souffre du cancer n'est pas une tâche facile, et c'est là que la nécessité d'un dialogue ouvert et sincère entre médecin et patient se fait le plus sentir. Il est impérieux de connaître l'être humain auquel l'on s'adresse pour savoir si l'on devra lui révéler la vérité sur son état, et il faut

145

aussi bien le connaître pour utiliser les mots justes lors de l'annonce de ce diagnostic si l'on a décidé qu'il valait mieux que le patient en soit informé. Trop souvent les médecins font la ronde autour du malade qui ne sait plus très bien qui est qui. Ce dernier se sent devenir peu à peu un objet de curiosité et il perd tout point de référence. À qui s'adressera-t-il pour calmer son anxiété? À qui demandera-t-il de lui dire la vérité? J'ai toujours souhaité n'avoir affaire qu'à un seul médecin. Évidemment, le concours de plusieurs spécialistes s'avère nécessaire, je ne le mets pas en doute, mais je pense que l'on doit avoir la décence d'élire parmi ces gens un représentant qui se chargera d'être une sorte de porte-parole auprès du malade afin que celui-ci soit moins perdu et moins délaissé. Cet arrangement atténuerait, me semble-t-il, l'anonymat qui caractérise généralement les relations patients-médecins.

Le cancer est une maladie qui fait peur, une maladie que tous redoutent. Presque chaque personne imagine à un moment ou à un autre qu'elle en sera atteinte. Aussi devient-il urgent de démystifier le cancer et de cesser de le présenter comme le synonyme de la mort. Moi aussi je suis tombée dans ce piège et pourtant je vis encore, et l'idée d'abandonner ma lutte est bien loin de moi. J'ai insisté pour que l'on me dise toujours la vérité car il me semble bien vain de vouloir combattre un ennemi dont on ignore même l'existence. Je ne dis pas que cette attitude doit être adoptée par tous, j'explique seulement que ce fut là ma façon à moi de faire face au problème et que je n'ai cessé au cours des ans de me conformer à cette ligne de conduite. J'ai trouvé pénible la réaction de certaines personnes de mon entourage qui parlaient de mon cas en chuchotant, avec sur la figure l'expression de la pitié; je me souviens également des traits attristés et désespérés du médecin qui confirma mes doutes au sujet de ma maladie. Ce décor de tragédie n'aide en rien le malade, au contraire, il amplifie sa certitude d'une fin prochaine; cela ressemble étrangement à une condamnation à mort. Les media d'information ne cessent de répéter que l'on peut vaincre le cancer; alors, que tous se conforment à ce slogan et que l'on ne tremble plus à chaque fois que l'on prononce ce mot! Que l'on sache que la lutte contre le cancer est possible, au même titre que la lutte contre toute autre maladie! Que l'on sache aussi que, comme moi, bien des cancéreux continuent de vivre de façon satisfaisante sans qu'ils bénéficient d'aucune intervention miraculeuse! L'être humain peut être très fort s'il a confiance en lui et s'il ne craint pas les défis. Pour cela, cependant, il doit prendre garde de ne pas se laisser aller à la dépression, et les gens qui entourent un cancéreux, ou tout autre malade, ne devraient jamais oublier de soigner le moral autant que le physique. Encore là, le rôle du médecin est capital. S'il soutient son patient, s'il se donne peine d'aller au-devant de ses craintes, de ses inquiétudes, il peut le sauver de l'angoisse. Au contraire, s'il le délaisse, s'il cesse de lui rendre visite et s'il ne lui adresse la parole que pour lui poser quelques questions au sens énigmatique, le malade se repliera sur sa solitude et déduira bientôt que ses chances sont trop minces pour qu'il puisse jamais s'en sortir. C'est de cette manière-là que l'on avorte la volonté de combattre sans laquelle aucun homme ne saurait vivre. Je considère personnellement que ce genre d'abandon ou d'indifférence à l'égard de ceux qui auraient le plus besoin de réconfort a toutes les allures d'un assassinat.

J'attire aussi l'attention sur la façon dont se déroulent quelquefois les visites chez le médecin. L'on vous demande votre carte d'assurance maladie en entrant, puis l'on vous fait asseoir dans une petite salle où vous attendez pendant des heures pour vous retrouver ensuite dans un cabinet avec en face de vous un docteur qui se donne plus ou moins la peine de vous examiner, qui regarde sa montre toutes les cinq minutes et qui répond au téléphone alors que vous essayez de lui expliquer pourquoi vous êtes là. Je ne voudrais pas que l'on croie que je m'adonne à des généralisations hâtives. Je n'accuse pas tous les médecins car, heureusement, j'en ai rencontré plusieurs qui ont gagné ma confiance. Cependant, encore là, j'ai eu trop souvent l'occasion de vivre de tels moments pour les passer sous silence. Je n'accepterai jamais que l'on traite des êtres humains de la sorte. La vie est un bien beaucoup trop précieux pour ne pas lui accorder toute l'attention qu'elle mérite. Aux médecins qui se reconnaîtront dans la description que j'ai esquissée plus haut de réfléchir au sens de leur vocation, car lorsque l'on parle de médecine il s'agit en effet de vocation. Pour être un bon médecin il ne suffit pas d'être intelligent, encore faut-il avoir du cœur et du courage. La personne qui se rend dans une clinique ou dans un hôpital n'a pas à savoir qu'elle est une quantité « monnayable »; pourquoi lui pousser dans le dos et essayer de l'expédier hors du cabinet le plus rapidement possible? D'autres patients attendent, bien sûr, et si le médecin sent sur lui peser beaucoup de tension, je le comprends, mais il ne doit pas le montrer. Il doit, je pense, s'efforcer d'individualiser chacune de ses rencontres. Et il en va de même pour le choix des traitements. Le malade a son mot à dire. Plus particulièrement en ce qui a trait au cancer, l'on sait combien peuvent être souffrants et incommodants l'application de certains traitements. Le patient a le droit de dire non à certaines choses s'il juge que sa vie en est trop réduite ou affectée. Je le répète encore, le malade est un être humain pensant, ignorant sans doute de la science de la médecine, mais conscient de ce qui lui arrive. Il faut le respecter et pour cela il faut se donner la peine de lui parler et de le connaître. Pourquoi lui infliger certaines souffrances inutiles alors qu'il serait si simple de s'entendre et de faciliter son combat? Il m'est déjà arrivé de subir par deux fois les mêmes examens, les mêmes tests, parce que les différents spécialistes qui s'occupaient alors de moi ne communiquaient pas entre eux. De quel pouvoir jouit le malade pour se défendre contre des choses comme celles-là? Que peut-il y faire? À quelle porte de la hiérarchie bureaucratique peut-il aller frapper pour se plaindre? Lorsque le mal est fait, qui peut le réparer? Je pose ces questions au nom de tous ceux qui attendent dans les hôpitaux que l'on décide de leur sort, et c'est en leur nom que je demande une fois de plus au corps médical de réfléchir. Toutefois je sais à quel point il peut s'avérer difficile de contrôler tout ce qui se passe dans ces véritables villes que sont nos hôpitaux. Si je souligne quelques lacunes, je me dois aussi de reconnaître les énormes efforts qui sont déployés par tout le personnel hospitalier pour sauver bien des vies. Je souhaite néanmoins que le système bureaucratique qui régit ces institutions s'humanise de plus en plus au cours des ans qui viennent.

Les lecteurs qui se sont rendus jusqu'à ce point de mon écrit savent que j'ai vu mourir bien des gens que j'affectionnais. La plupart de ces personnes ont vécu leurs derniers instants dans des chambres d'hôpitaux. Elles sont mortes seules, loin des leurs, loin des êtres et des objets qui avaient été toute leur vie. Lorsque je songe à ces morts anonymes, mon cœur se resserre et un long frisson parcourt tout mon corps. Je ne voudrais pas que cela m'arrive, et pourtant je dois me rendre à l'évidence qu'il se peut que, moi aussi, je vive mes derniers moments dans de telles conditions et, croyez-moi, ce scénario est atroce.

Delaissé de plus en plus par les médecins qui savent que tel patient a atteint la phase terminale, et qu'il est inutile désormais de tenter quoi que soi pour améliorer son sort, le malade voit s'écouler ses jours dans la plus déchirante solitude. Il se rend bien compte que l'on ne le soigne plus, que l'on jette sur lui un coup d'œil rapide et que l'on se retire aussitôt. Il voit que son arrêt de mort a été signé, et il attend, en essayant parfois de s'illusionner sur son état, mais au fond, il sait qu'au prochain tournant il se retrouvera seul à jamais face à la grande noirceur. Cette attente est insupportable et c'est pourquoi je me demande comment il se fait que des médecins, des infirmières puissent abandonner ainsi des êtres humains? Les prêtres en service dans les hôpitaux essaient de prodiguer un peu de réconfort à ces personnes, mais cela ne suffit guère. Il est bien beau d'adoucir les heures d'agonie par les drogues, mais de grâce, n'oublions pas de mettre toute la chaleur humaine possible dans les derniers soins apportés aux patients. C'est de cela dont ils ont le plus besoin: d'un sourire, d'une poignée de mains, d'une présence.

150

Lorsque j'en serai là, je souhaite de tout cœur que l'on m'épargne des souffrances atroces, et je demande surtout que l'on ne prolonge pas mon agonie inutilement. J'ai opté pour la qualité de ma vie et non pour la quantité, que l'on s'en souvienne.

Pour l'instant toutefois, lorsqu'il m'arrive de songer à la mort, je le fais de façon paisible me disant que, le moment venu, je serai prête à l'affronter et aussi à l'accepter. Cependant, au fil des jours, si sa pensée m'effleure, je la mets en déroute en m'empressant de goûter avec passion et avidité le bonheur de jouir de la vie et de pouvoir encore partager mon temps avec les êtres que j'aime le plus. La mort, d'une manière ou d'une autre, nous guette tous. Peu importe l'itinéraire que nous suivons, elle sera notre dernier havre. Depuis maintenant plusieurs années, je la sens qui rôde. Elle frôle parfois de sa longue main rachitique et froide la tiédeur de ma vie. J'ai appris à la reconnaître. Elle asperge mon corps de sueur et déverse dans mon âme son miel brûlant et noir. Certes, ses attaques ne manquent pas de me blesser, mais j'essaierai d'être digne de mon ennemie. Je ne me livrerai pas sans avoir d'abord résisté, qu'elle s'arme donc de patience. La mort peut attendre. J'ai encore trop à faire.

REMERCIEMENTS

Je tiens à remercier tous ceux qui, par leurs encouragements, ont facilité la réalisation de ce livre.

Un merci profond aux médecins et aux infirmières qui ont su si bien m'épauler et m'aider à vivre pleinement.

Toute ma reconnaissance à mon mari, à ma fillette, à ma famille et à mes amis qui m'ont soutenue et encouragée de leur présence persévérante.

Achevé d'imprimer
en mai mil neuf cent soixante-dix-neuf
sur les presses de l'Imprimerie Gagné Ltée
Louiseville - Montréal.
Imprimé au Canada